Novela
Sociolinguística

A LÍNGUA DE EULÁLIA

Novela
Sociolinguística

MARCOS BAGNO

editora**contexto**

Capa
Mônica Cristina Pereira de Souza Martins

Projeto gráfico
R. C. Pretel Comunicação

Diagramação
Global Tec Produções Gráficas
Claudio Filizzola

Revisão
Rose Zuanetti
Juliana Ramos Gonçalves

Dados Internacionais de Catalogação na Publicação (CIP)
(Câmara Brasileira do Livro, SP, Brasil)

Bagno, Marcos.
A língua de Eulália: novela sociolinguística / Marcos Bagno. –
17. ed., 9ª reimpressão. – São Paulo: Contexto, 2024.

Bibliografia
ISBN 978-85-7244-397-5
1. Linguística. 2. Português. 3. Sociolinguística. I. Título.

97-4183   CDD-401.9

Índice para catálogo sistemático:
1. Sociolinguística 401.9

2024

Editora Contexto
Diretor editorial: *Jaime Pinsky*

Rua Dr. José Elias, 520 – Alto da Lapa
05083-030 – São Paulo – SP
PABX: (11) 3832 5838
contexto@editoracontexto.com.br
www.editoracontexto.com.br

"O serviço mais útil que os linguistas podem prestar hoje é varrer a ilusão da 'deficiência verbal' e oferecer uma noção mais adequada das relações entre dialetos-padrão e não padrão."
William Labov, *The Logic of Nonstandart English*, 1969.

a Maria da Piedade Moreira de Sá,
com gratidão e carinho, pelas incontáveis
provas de amor que tem dado à ciência

SUMÁRIO

Caro leitor, há exercícios complementares disponíveis
na página eletrônica da Editora Contexto
(no link "Material complementar", em
https://www.editoracontexto.com.br/produto/a-lingua-de-
eulalia-novela-sociolinguistica/1496936).

A CHEGADA

Vera, Sílvia e Emília foram as primeiras a descer na rodoviária de Atibaia quando o ônibus estacionou.

– Respirem fundo – manda Vera, e as outras duas obedecem. – Já sentiram a diferença do ar?

Sílvia inspira com sofreguidão, retém a respiração por alguns segundos e depois libera o ar dos pulmões. Sorri:

– Já! E que diferença! Nem parece que estamos tão perto de São Paulo e de toda aquela poluição...

– É mesmo – concorda Emília. – Parece que aqui o ar corresponde àquela descrição que aparece nos livros de ciências...

– "Incolor e inodoro" – apressa-se em completar Vera.

– Mas essas não são as qualidades da água? – inquieta-se Sílvia.

– Eu lá quero saber? Estou de férias... – graceja Vera.

As três sorriem.

Vera tem 21 anos, é estudante de Letras. Sílvia, da mesma idade, estuda Psicologia. Emília, 19, está no primeiro ano de Pedagogia. As três são professoras do curso primário no mesmo colégio de São Paulo.

– E agora, Vera? – pergunta Sílvia. – Como fazemos para chegar na casa da sua tia?

– Pegamos um táxi – responde Vera. – Mais exatamente o táxi do Ângelo, que deve estar esperando a gente. Eu telefonei ontem para ele combinando.

– Cidade pequena tem isso de legal – comenta Sílvia –, a gente conhece até os motoristas de táxi pelo nome.

– Também – desdenha Emília –, devem ser só três ou quatro em toda Atibaia.

– As duas estão erradas – corrige Vera. – Não conheço todos os motoristas pelo nome, e aqui tem muito mais do que três ou quatro, dona Emília. O caso é que o Ângelo é uma pessoa especial, ele é filho da Eulália.

Sílvia e Emília não compreendem. Vera logo acrescenta:

– A Eulália mora com a minha tia Irene. É a pessoa mais querida do universo inteiro! Eu simplesmente amo ela...

– A "moela", que eu saiba, é um órgão das galinhas, meu bem...
– diz Emília, sarcasticamente.

– Não enche, Emília, a gente "estamos" de férias, "tá bão"? –
graceja Sílvia.

– Não senhora! – protesta Emília. – Temos um exemplo a dar.
Uma professora deve estar sempre alerta!

– Para mim isso é lema de escoteiro... – diz Vera, sem perder o
bom humor.

Neste momento, um grande carro branco estaciona junto delas.
O motorista, negro e jovem, sai e vem cumprimentar Vera. Ela o
abraça e beija, para espanto das amigas.

– Ângelo, estas aqui são duas colegas minhas lá de São Paulo,
a Sílvia e a Emília.

Ângelo sorri para elas e estende a mão:

– Muito prazer, eu sou o Ângelo – e aperta com força a mão de
cada uma delas. – Vamos lá? A minha mãe está esperando vocês
com um almoço daqueles que só ela sabe fazer. Parece até uma
festa de casamento!

Enquanto fala, Ângelo abre as portas do carro para que as moças entrem. Recolhe as maletas que elas haviam deixado no chão
e as guarda no porta-malas do carro.

A caminho da casa da tia de Vera, Sílvia e Emília não param
de falar.

– Você disse que a sua tia é viúva? – pergunta Sílvia.

– Não, ela é divorciada, há muitos anos – responde Vera.

– E mora aqui sozinha? – quer saber Emília.

– Não, mora com a Eulália, eu já disse.

– E você falou que ela era professora universitária? – volta a
falar Sílvia.

– Professora de língua portuguesa e linguística. Até se aposen-
tar. Isso tem uns cinco anos. Mas ela mora aqui em Atibaia já faz
mais de vinte. Ia para Campinas todo dia trabalhar de manhã e
voltava à noite – explica Vera, paciente.

– E ela não sente falta do trabalho? – quer saber Sílvia. – Ela
gosta de ser dona de casa?

– Dona de casa? A tia Irene? – Vera ri gostoso. – Ela se

aposentou da universidade, mas continua trabalhando. Aliás, acho que hoje em dia ela trabalha mais do que quando era professora.

– Por quê? – pergunta Emília.

– Ela continua estudando, pesquisando, escrevendo. Toda vez que venho aqui ela comenta sobre algum artigo que uma revista encomendou, algum livro que está preparando, coisas assim. Lá na faculdade, quando comento com os professores que sou sobrinha de Irene Amaggio, todos se desdobram em elogios. Ela é muito respeitada.

– E você não pode esquecer o outro trabalho dela aqui em Atibaia, não é, Vera? – intervém Ângelo, que estava atento à conversa.

– Que trabalho? – pergunta Sílvia.

– A dona Irene ensina a gente pobre a ler e escrever – responde o motorista, satisfeito.

– Que coisa bonita! – exclama Emília, admirada.

– É mesmo – confirma Vera. – A tia Irene montou na chácara um curso de alfabetização para adultos.

– Tudo começou com a minha mãe – explica Ângelo.

– Foi – diz Vera. – Quando a Eulália foi trabalhar com a tia Irene, ela não sabia ler nem escrever. Minha tia não quis saber daquilo: disse que nunca ia admitir na casa dela uma pessoa analfabeta. Começou a dar aulas à noite para a Eulália. A Eulália foi trazendo algumas conhecidas, estas foram trazendo mais gente, e quando minha tia viu estava dando aula para umas vinte pessoas, todas adultas, a maioria mulheres que trabalhavam nas casas do bairro onde ela mora. Imaginem que ela trabalhava na universidade o dia todo e quando chegava ainda tinha de dar aula à noite. Depois que se aposentou, ficou mais fácil. Mas agora estão todos de férias, porque afinal ninguém é de ferro.

– Agora entendi – diz Emília de repente. – A Eulália é a empregada da sua tia.

– No começo, sim, mas isso tem quase vinte anos. A Eulália ia trabalhar lá e depois voltava para a casa dela. – explica Vera.

– Depois que a Eulália ficou viúva, foi morar com minha tia. Mas já eram tão amigas que a tia Irene não quis saber da Eulália vivendo no quartinho dos fundos. Deu a ela um dos quartos da casa, pôs o Ângelo, que era pequeno, em outro, e passaram todos a viver ali como se fosse uma família só. Depois que o Ângelo se casou, moram só as duas lá, cuidando juntas da casa, da horta, do pomar, dos bichos.

– A sua tia Irene é uma santa mulher – diz Ângelo. – Me pôs na escola, me ajudou nos estudos, me levou para viajar, e é por causa dela que hoje eu tenho este emprego, minha casa e minha família.

– E sua tia não tem filhos? – pergunta Sílvia.

– Tem, sim, filhos e netos – responde Vera. – Minha prima Cecília e meu primo Vicente moram lá em São Paulo. Quando a tia Irene se mudou para Atibaia eles já estavam casados e tudo...

QUEM RI DO QUÊ?

Depois do almoço, que foi mesmo uma grande festa, Ângelo voltou ao trabalho e Eulália foi dormir sua sesta habitual da tarde.

Vera, Sílvia e Emília saíram para passear pela chácara com Irene.

– A senhora tem um jardim deslumbrante, dona Irene! – comenta Sílvia, maravilhada diante dos canteiros de rosas e hortênsias.

– Para começar, deixe o "senhora" de lado e esqueça o "dona" também – diz Irene, sorrindo. – Já é um custo aguentar a Vera me chamando de "tia" o tempo todo. Meu nome é Irene. "Dona" Irene ou, pior, "Professora Doutora" Irene, eu cobro só de quem não gosto.

Todas sorriem. Irene prossegue:

– Agradeço os elogios para o jardim, só que você vai ter de fazê-los para a Eulália, que é quem cuida das flores. Eu sou um fracasso na jardinagem. A Eulália, não, acho que tem um "dedo verde". Basta alisar uma planta murchinha para ela ficar toda brejeira, verdinha e viçosa. Uma coisa impressionante.

– Foi ela também que preparou o almoço, não foi? – pergunta Emília.

– Foi – responde Irene. – Eu gosto de cozinhar, mas quando tem visita, a Eulália não me deixa chegar perto das panelas. Faz questão de preparar tudo sozinha. A maior glória para ela é quando alguém louva a comida que fez.

– Parece que a Eulália é mesmo muito prendada – comenta Sílvia.

– Prendada? Essa é boa! – ri Irene. – Menina, em que século passado você nasceu?

Sílvia fica corada.

– Para dizer a verdade – prossegue Irene –, a Eulália é um poço sem fundo de conhecimento e sabedoria. Todo dia aprendo uma coisa nova com ela. Só de remédios caseiros, feitos com ervas medicinais, dava para encher uma enciclopédia. E como conselheira para momentos de angústia e depressão não conheço melhor psicólogo do que ela.

– Pode até ser – comenta Emília enquanto as quatro se sentam num grande banco de madeira sob um caramanchão. – Mas ela fala tudo errado. Isso para mim estraga qualquer sabedoria.

– Eu tive de me segurar para não rir quando ela disse aquelas coisas na mesa – acrescenta Sílvia.

– Que coisas? – quer saber Vera.

– Ah, sei lá... agora não me lembro – responde Sílvia.

– Eu me lembro – adianta-se Emília. – Ela disse "os probrema", "os fósfro", "môio ingrês"...

– É mesmo – confirma Sílvia –, e a mais engraçada foi: "percurá os hôme"...

Sílvia ri, e Emília a imita.

Irene fica séria por alguns instantes. De repente, vira-se para as duas moças e diz:

– *Or tu chi se', che vuoi sedere a scranna / Per giudicar da lungi mille miglia, / Con la veduta corta d'una spanna?*

Sílvia, Emília e Vera, tomadas de surpresa, ficam mudas.

– E então? Não querem rir também do que eu disse, como riram das coisas que a Eulália falou?

– Mas você falou em italiano – diz Vera.

– Se era italiano, por que devíamos rir? Eu não posso achar graça naquilo que não entendo – diz Emília.

– E por que você não entende? – pergunta Irene.

– Ora, porque não falo italiano – responde Emília.

– E o que é que você fala? – continua Irene.

– Eu falo português – diz Emília, já intrigada.

– E o que é o italiano para alguém que fala português? – quer saber Irene.

As moças param um instante para pensar. É Sílvia quem responde:

– É outra língua.

– Uma língua diferente – completa Vera.

– Muito bem – diz Irene. – Vocês não entenderam o verso de Dante que eu citei há pouco porque era italiano. Mas e se eu disser assim: *"No mundo non me sei parelha, mentre me for' como me vay, ca já moiro por vos – e ay!"*?

– Esse quase dá para entender, afinal é espanhol – diz Sílvia.

– Não senhora – corrige Irene. – É português.

– Português?! – espanta-se Emília.

– Português, sim, só que do século XII, Idade Média – explica Irene. E que tal alguma coisa assim: "Estou-me nas tintas se não te apetece uma bola de Berlim"?

– Vai me dizer que isso também é português? – duvida Sílvia.

– Claro que é, é português falado em Portugal. Significa: "Estou pouco ligando se você não gosta de comer sonho".

Vera impacienta-se:

– Tia, aonde é que você quer chegar?

– Vocês não entenderam o Dante porque o italiano é diferente do português. Vocês não entenderam o português do século XII porque ele é diferente do português de hoje. E não entenderam o português de Portugal porque é diferente do português do Brasil.

– E o que tem isso a ver com a fala errada da Eulália? – pergunta Emília.

– A fala da Eulália não é errada: é diferente. É o português de uma classe social *diferente* da nossa, só isso – explica Irene.

– Para mim é errado – diz Emília.

– É errado dentro das regras da gramática que se aplicam ao português que *você* fala – diz Irene. – Mas na variedade não padrão falada pela Eulália essas regras não funcionam.

– Variedade não padrão? Que coisa é essa, tia? – pergunta Vera.

Irene dá um suspiro, sorri e diz:

– Essa é uma história comprida, Vera, e não sei se dá para resumir aqui, no jardim, nesta tarde fria de julho, depois de ter comido tanto no almoço.

– Mas agora eu fiquei curiosa – diz Vera.

– Eu também – diz Sílvia.

– E eu mais ainda – diz Emília. – Quero ver a senhora... você me convencer que a Eulália não fala errado.

Irene se levanta e diz:

– Vamos combinar o seguinte. Hoje à noite, a gente se reúne na sala, acende a lareira, se enrola nuns cobertores e bate um longo papo sobre este assunto. Por coincidência, eu estou mesmo preparando um livrinho que trata destes problemas. Vou aproveitar o resto da tarde para ler um pouco e lá por volta das oito horas a gente se encontra. Enquanto isso, Vera, leve as meninas para passear aqui pelos arredores. Combinado?

– Combinado – diz Vera.

– Antes eu quero saber o que foi aquilo que você disse em italiano...

Irene sorri:

– São uns versos da *Divina Comédia*, de Dante. A tradução é difícil, mas significam alguma coisa como: "quem você, tão presunçoso, pensa que é para julgar de coisas tão elevadas com a curta visão de que dispõe"?

– Emília e Sílvia se entreolham.

– É impressão minha, ou foi uma indireta? – pergunta Sílvia.

– Indireta nenhuma, querida – responde Irene, puxando Sílvia para junto de si e abraçando-a com carinho. – São uns versos bonitos que guardei de cor, só isso.

– E aquele português da Idade Média, o que era? – pergunta Emília.

– São os primeiros versos de uma cantiga de amor – responde Irene. – Essa cantiga é considerada o texto mais antigo escrito em língua portuguesa, data de 1189. É tão antiga que até hoje os filólogos discutem sobre o significado exato das palavras... Mas agora chega de conversa. Vão passear. Durante o passeio, aproveitem para pensar na resposta que vocês dariam à seguinte pergunta: "Quantas línguas se fala no Brasil?" Não digam nada agora. À noite a gente se vê.

QUE LÍNGUA É ESSA?

– o mito e a realidade; o errado e o diferente; o eu e o outro –

O mito da língua única

À noite, como ficou combinado, reúnem-se todas na sala grande da lareira, devidamente acesa. Diante do fogo há um largo tapete felpudo sobre o qual foram espalhadas algumas almofadas grandes e macias. No centro, uma mesinha baixa com um bule de chá, outro de chocolate, canecas de louça branca, um prato com biscoitinhos, outro com um apetitoso bolo inglês.

Irene remexe algumas folhas de papel que trouxe de seu quarto de estudos. Vera serve-se de chá, enquanto Sílvia molha um biscoitinho no chocolate quente. Emília está ocupada em proteger seus pés com as meias grossas de lã que Irene lhe emprestou. Faz muito frio, mas a sala está bem aquecida e aconchegante.

– Não vi mais a Eulália hoje – comenta Vera.

– Ela foi para a casa do Ângelo – explica Irene. – Os netos estão de férias. Ela foi babar em cima deles e estragá-las como cabe e convém a uma boa avó. Deve dormir por lá.

– E então, essa aula começa ou não começa? – pergunta Sílvia, tornando a encher a xícara de chocolate.

– Aula? – surpreende-se Irene. – Eu tinha pensado só num bate-papo, nada de muito sério... Afinal, estamos todas de férias, não é? – e pisca um olho para a sobrinha.

– Mas bater papo com alguém que sabe a *Divina Comédia* de cor vale por uma aula... – diz Emília.

Sorriso geral.

– Já que você insiste, vamos começar – diz Irene. – E quero começar pedindo a vocês que me respondam: "Quantas línguas se fala no Brasil?"

Silêncio. As três, tímidas, não ousam arriscar uma resposta. Emília cutuca Vera com o cotovelo e diz:

– Vera, você faz Letras: é obrigada a saber a resposta...

Vera, assim convocada em seus brios acadêmicos, pigarreia e diz:

– Bom, o que a gente aprende na escola, desde pequena, é que no Brasil só se fala português.

– Isso mesmo – confirma Sílvia. – No Brasil a gente fala português de Norte a Sul.

Irene escuta com atenção. Depois começa a falar:

– É bem a resposta que eu esperava. E não havia por que ser diferente. Meninas, na tradição de ensino da língua portuguesa no Brasil existe um mito que há muito tempo vem causando um sério estrago na nossa educação.

– Que mito é esse, tia?

– É o mito da *unidade linguística do Brasil*.

As três moças se entreolham, surpresas. Irene prossegue:

– O mito da unidade linguística do Brasil pode ser resumido na resposta que a Vera e a Sílvia me deram agora há pouco: *"No Brasil só se fala uma língua, o português"*. Um mito, entre outras definições possíveis, é uma *ideia falsa, sem correspondente na realidade*.

– Quer dizer que a resposta delas é falsa, mentirosa? – pergunta Emília.

– Exatamente – responde Irene.

– E por quê, tia?

– Primeiro, no Brasil *não se fala uma só língua*. Existem mais de duzentas línguas ainda faladas em diversos pontos do país pelos sobreviventes das antigas nações indígenas. Além disso, muitas comunidades de imigrantes estrangeiros mantêm viva a língua de seus ancestrais: coreanos, japoneses, alemães, italianos etc.

– Mas os índios são muito poucos e vivem isolados – replica Sílvia.

– É, e as comunidades de imigrantes também são uma minoria dentro do conjunto total da população brasileira – completa Emília.

– A língua mais usada, mais falada, mais escrita é mesmo o português – conclui Vera.

– Poder ser – diz Irene. – Mas mesmo deixando de lado os índios e os imigrantes, nem por isso a gente pode dizer que no Brasil só se fala uma única língua. Talvez vocês se surpreendam com o que vou dizer agora, mas *não existe nenhuma língua que seja uma só*.

– Como assim, Irene? – pergunta Emília, espantada. – Que quer dizer isso?

– Isso quer dizer que aquilo que a gente chama, por comodidade, de *português* não é um bloco compacto, sólido e firme, mas sim um conjunto de "coisas" aparentadas entre si, mas com algumas diferenças. Essas "coisas" são chamadas *variedades*.

Toda língua varia

– Puxa vida, estou entendendo cada vez menos – queixa-se Sílvia.

– Vamos bem devagar para as coisas ficarem claras – propõe Irene. – Você certamente já ouviu um português falar, não é?

– Já – responde Sílvia.

– Já percebeu as muitas diferenças que existem entre o modo de falar do português e o modo de falar nosso, brasileiro. De que tipo são essas diferenças? Vamos ver algumas delas:

- diferenças *fonéticas* (no modo de pronunciar os sons da língua): o brasileiro diz *eu sei*, o português diz *eu sâi*;

- diferenças *sintáticas* (no modo de organizar as frases, as orações e as partes que as compõem): nós no Brasil dizemos *estou falando com você*; em Portugal eles dizem *estou a falar consigo*;

- diferenças *lexicais* (palavras que existem lá e não existem cá, e vice-versa): o português chama de *saloio* aquele habitante da zona rural, que no Brasil a gente chama de *caipira*, *capiau*, *matuto*;

- diferenças *semânticas* (no significado das palavras): *cuecas* em Portugal são as *calcinhas* das brasileiras. Imagine uma mulher entrar numa loja de São Paulo e pedir *cuecas* para ela usar! Vai causar o maior espanto!

- diferenças no *uso* da língua. Por exemplo, você se chama Sílvia e um português muito amigo seu quer convidar você para jantar. Ele provavelmente vai perguntar: "A Sílvia janta conosco?" Se você não estiver acostumada com esse uso diferente, poderá pensar que ele está falando de uma outra Sílvia, e não de você. Porque, no Brasil, um amigo faria o mesmo convite mais ou menos assim: "Sílvia, você quer jantar com a gente?" Nós não temos, como os portugueses, o hábito de falar diretamente com alguém como se esse alguém fosse uma terceira pessoa...

– Tudo bem até agora? – pergunta Irene.

– Tudo bem – responde Sílvia.

– Essas e outras diferenças – prossegue Irene – também existem, em grau menor, entre o português falado no Norte-Nordeste do Brasil e o falado no Centro-Sul, por exemplo. Dentro do Centro-Sul existem diferenças entre o falar, digamos, do carioca e o falar do paulistano. E assim por diante.

Irene faz uma pequena pausa. Toma um gole de chá e continua:

– Até agora, falamos das *variedades geográficas*: a variedade portuguesa, a variedade brasileira, a variedade brasileira do Norte, a variedade brasileira do Sul, a variedade carioca, a variedade paulistana... Mas a coisa não para por aí. A língua também fica diferente quando é falada por um homem ou por uma mulher, por uma criança ou por um adulto, por uma pessoa alfabetizada ou por uma não alfabetizada, por uma pessoa de classe alta ou por uma pessoa de classe média ou baixa, por um morador da cidade e por um morador do campo e assim por diante. Temos então, ao lado das variedades geográficas, outros tipos de variedades: *de gênero*, *socioeconômicas*, *etárias*, *de nível de instrução*, *urbanas*, *rurais* etc.

– E cada uma dessas variedades equivale a uma língua? – pergunta Emília.

– Mais ou menos – responde Irene. – Na verdade, se quiséssemos ser exatas e precisas na hora de dar nome a uma língua, teríamos de dizer, por exemplo, falando da Vera: "Esta é a língua portuguesa, falada no Brasil, em 2001, na região Sudeste, no estado e na cidade de São Paulo, por uma mulher branca, de 21 anos, de classe média, professora primária, cursando universidade" etc. Ou seja, teríamos de levar em conta todos os elementos – chamados *variáveis* – que compõem uma *variedade*. É como se cada pessoa falasse uma língua só sua...

– Já entendi – diz Emília. – É o mesmo que acontece com a letra da gente, não é? Cada um tem a sua letra, o seu jeito de escrever, que é único e exclusivo, e que até serve para identificar uma pessoa, mas que ao mesmo tempo pode ser lido e entendido pelos outros.

– Excelente comparação, Emília, parabéns – elogia Irene. Isso tudo reflete a eterna tensão que existe na vida de cada ser humano:

a vontade de se isolar, de se preservar, de garantir seu espaço individual, mas ao mesmo tempo a necessidade de se comunicar, de manter contato, de travar relações. Cada pessoa tem a sua língua própria e exclusiva, mas também não pode deixar que ela a separe da comunidade em que está inserida. Houve até um pensador norte-americano, Gregory Bateson, que resumiu essa tensão numa pequena fábula...

– Conte para nós – pede Vera.

– Ele diz que, para se proteger do inverno, um grupo de porcos-espinhos se abrigam numa caverna. Como faz muito frio, eles procuram se encostar uns nos outros para se esquentar, mas, por causa dos espinhos, têm de se afastar uns dos outros. Mas logo ficam com frio e se aproximam novamente, e logo se separam e de novo se juntam...

– Que interessante – diz Sílvia. – É uma história muito boa para alguém que, como eu, estuda a Psicologia do ser humano.

Toda língua muda

– Deu para entender o que é uma variedade, Sílvia? – pergunta Irene.

– Deu, sim, é até mais fácil do que eu pensava – responde a estudante de Psicologia.

Irene dá um sorriso maroto e fingindo um tom de ameaça anuncia: – Mas a coisa pode ficar ainda mais complicada...

– Como, tia?

– Pegue, por exemplo, um texto de jornal escrito no começo do século XX. Você vai sentir diferenças no vocabulário e no modo de construção da frase. Recue mais um pouco no tempo e tente encontrar alguma coisa escrita no começo do século XIX, em 1808, por exemplo, quando a família real portuguesa se transferiu para o Brasil. Mais diferenças ainda. Dê um salto ainda maior e tente ler a famosa carta de Pero Vaz de Caminha ao rei D. Manuel I dando a notícia do descobrimento do Brasil. Um texto de 1500, último ano do século XV! Tem muita coisa ali que a gente nem consegue entender! E se quisermos ler uma *cantiga d'amor*, como a que citei hoje à tarde, que era um gênero de poesia praticado em Portugal nos séculos XII-XIII? Quase impossível: só mesmo com a ajuda e a orientação de um filólogo, especialista em textos antigos! O que todos esses textos têm em comum?

– Foram todos escritos em português, não é? – arrisca Sílvia.

– Sim – responde Irene.

– Por que será então que eles vão se tornando cada vez menos compreensíveis para um brasileiro no início do século XXI? – quer saber Vera.

– Porque toda língua, além de variar geograficamente, no espaço, também *muda com o tempo*. A língua que falamos hoje no Brasil é diferente da que era falada aqui mesmo no início da colonização, e também é diferente da língua que será falada aqui mesmo dentro de trezentos ou quatrocentos anos!

– Parece lógico – comenta Sílvia. – Todas as coisas mudam, os costumes, as crenças, os meios de comunicação, as roupas... até os bichos evoluíram e continuam evoluindo... Por que a língua não haveria de mudar, não é?

– É por isso – prossegue Irene – que nós linguistas dizemos que *toda língua muda e varia*. Quer dizer, muda com o tempo e varia no espaço. Temos até uns nomes especiais para esses dois fenômenos. A mudança ao longo do tempo se chama *mudança diacrônica*. A variação geográfica se chama *variação diatópica*. E é por isso também que não existe *a língua portuguesa*.

– Ah, não? – admira-se Emília. – Então o que é que existe?

– Existe um pequeno número de variedades do português – faladas numa determinada região, por determinado conjunto de pessoas, numa determinada época – que, por diversas razões, foram eleitas para servirem de base para a constituição, para a elaboração de uma *norma-padrão*. A norma-padrão é aquele *modelo ideal* de língua que deve ser usado pelas autoridades, pelos órgãos oficiais, pelas pessoas cultas, pelos escritores e jornalistas, aquele que deve ser ensinado e aprendido na escola. Vejam bem que eu disse aquele que *deve ser*, não aquele que necessariamente *é* empregado pelas pessoas cultas. Essa norma, ao longo do tempo, se torna objeto de um grande investimento...

– Investimento, Irene? – pergunta Sílvia. – Como assim?

– No processo de constituição, de cristalização da norma-padrão como o que *deve ser* "a" língua, ela é analisada pelos gramáticos, que escrevem livros para descrever as regras de funcionamento dela, livros que servem ao mesmo tempo para *prescrever* essas regras, isto é, impor essas regras como as únicas aceitáveis para o uso "correto" da língua. Os dicionaristas também se debruçam sobre a norma-padrão e tentam definir os significados precisos para as palavras que compõem esse padrão. A Academia de Letras estabelece a ortografia oficial, a maneira única de escrever, que é imposta por decreto-lei governamental. Ela também cuida para que palavras de origem estrangeira não "contaminem" excessivamente a língua, e propõe novos termos para substituí-las, termos com uma forma mais próxima daquilo que os tradicionalistas chamam de "a índole da língua". Os autores de livros didáticos preparam seus manuais escolares pensando em estratégias pedagógicas eficazes para que as crianças aprendam a norma-padrão... Todo esse trabalho de *padronização*, de criação e cultivo de um modelo de língua, é que compõe o tal investimento de que eu falei... Por isso a norma-padrão dá a impressão de ser mais rica, mais complexa, mais versátil que todas as demais variedades da língua faladas pelas pessoas do país. Na verdade, ela nada tem de *melhor* que essas variedades, ela só tem *mais* que as outras.

– E o que é que ela tem mais que as outras? – pergunta Sílvia.

– Por causa do tal investimento, a norma-padrão tem principalmente mais palavras eruditas, tem mais termos técnicos, tem um vocabulário maior e mais diversificado. Ela também tem mais construções sintáticas consideradas de bom-gosto, tem expressões de origem erudita que servem de modelos para serem imitados, metáforas clássicas que dão um ar "nobre" à linguagem... Mas se esse mesmo investimento fosse aplicado a qualquer uma das muitas variedades faladas no país, ela também se enriqueceria e se mostraria capaz de ser veículo para todo tipo de mensagem, de discurso, de texto científico e literário...

– Quer dizer então que se a gente pegasse a língua falada... sei lá... por uma tribo de índios, por exemplo, e fizesse todo esse investimento que você explicou, ela se tornaria uma língua tão complexa e cheia de recursos quanto o português-padrão? – pergunta Emília.

– Exato – responde Irene. – Ela se tornaria o que se costuma chamar de "língua de cultura". Aconteceu uma coisa mais ou menos parecida com isso na Nova Zelândia. Lá o idioma mais usado é o inglês, implantado pelos colonizadores britânicos. Mas os habitantes mais antigos da Nova Zelândia são os maoris, que tiveram de conviver com todas as dificuldades trazidas pelo processo de colonização. Graças a um grande movimento de conscientização, eles têm reconquistado muito do que perderam no passado. Recuperaram terras, obtiveram leis protegendo sua cultura e sua identidade como povo. Nos últimos vinte anos, a língua maori se tornou uma das línguas oficiais da Nova Zelândia. É usada em transmissões de rádio e televisão, é impressa em jornais e revistas, é ensinada nas escolas. Existe mesmo uma universidade onde todos os cursos, de todas as ciências, são dados exclusivamente em língua maori. Ou seja, a língua maori recebeu um investimento grande o bastante para que hoje alguém possa estudar física quântica, biologia, matemática pura, sociologia, astronomia e tudo mais naquela língua que antes era considerada o idioma "tosco" de um povo "primitivo"...

– Puxa vida! – exclama Emília. – E eu pensei que aquela minha ideia era só um delírio...

– Aconteceu alguma coisa parecida com o hebraico também, não foi, tia? – pergunta Vera.

– Bem lembrado, Verinha. Quando foi criado o Estado de Israel, em 1948, o hebraico era uma língua usada apenas na leitura dos antigos textos sagrados da religião judaica. Agora que os judeus tinham seu próprio país, queriam recuperar também sua própria língua. Ocorreu então um dos fenômenos mais interessantes da história das línguas. O hebraico antigo, que até então era uma língua morta, como o latim para nós hoje, foi ressuscitado, recebeu um enorme investimento linguístico e se tornou um idioma moderno, perfeitamente adaptado para cumprir todas as funções de uma língua de cultura.

História da norma-padrão

– Então essa norma-padrão é o que a gente costuma chamar de língua portuguesa? – pergunta Sílvia.

– Exato – confirma Irene. – No momento em que se estabelece uma norma-padrão, ela ganha tanta importância e tanto prestígio social que todas as demais variedades são consideradas "impróprias", "inadequadas", "feias", "erradas", "deficientes", "pobres"... E esta norma-padrão passa a ser designada com o nome da língua, como se ela fosse a única representante legítima e legal dos falantes desta língua.

– Tia, você disse que as variedades escolhidas para compor o padrão foram escolhidas por "diversas razões". Que razões são essas?

– Veja só, Vera, os motivos que levam determinadas variedades a servir de base para o padrão não têm nada a ver com as qualidades *intrínsecas, internas, linguísticas* destas variedades. O que estou tentando dizer é que todas as variedades de uma língua têm recursos linguísticos suficientes para desempenhar sua função de veículo de comunicação, de expressão e de interação entre seres humanos. Mas por alguma razão, ou razões, só algumas servem de base para o padrão.

– E eu volto a perguntar, tia, que razões são essas?

– Vamos ver alguns exemplos. Na Itália, a variedade que ganhou o título de padrão e que hoje chamamos de *italiano* é a língua originária de uma região chamada Toscana. Esta região teve uma importância muito grande durante vários séculos, tendo a cidade de Florença como capital política e cultural. Florença foi um dos polos do Renascimento, o grande movimento cultural europeu que revolucionou todos os gêneros artísticos e literários da época. Lá trabalharam e viveram gênios como Leonardo da Vinci, Michelangelo e Botticelli. E na língua da Toscana foram escritas algumas das obras-primas da literatura mundial: a *Divina Comédia* de Dante Alighieri, as *Poesias* de Petrarca, o *Decamerão* de Bocácio. Além disso, a Toscana contava com uma moeda forte, o florim, que foi uma moeda importante de comércio internacional durante mais de duzentos anos e em torno do qual se havia organizado um sistema bancário muito evoluído para a época. Tamanho prestígio fez com que o toscano se tornasse, pouco a pouco, a língua de cultura de toda a Itália. E isso apesar de existirem naquele país dezenas e dezenas de línguas diferentes, chamadas *dialetos*, falados por milhões de pessoas e também veículos de importantes manifestações culturais.

Na Espanha, a língua oficial é a que se originou numa região chamada Castela, e por isso até hoje o espanhol é chamado de *castelhano*. Foram os reis de Castela que, com muitas lutas e guerras, conseguiram expulsar os árabes, que dominaram a Península Ibérica por quase oitocentos anos. Pouco a pouco, os nobres castelhanos foram alargando seus territórios, e quando terminou a Reconquista – isto é, quando não havia mais domínios árabes em solo hispânico –, os castelhanos já tinham conquistado o mais alto prestígio social, o que fez com que sua língua se impusesse a todos os demais habitantes do país. E tal como na Itália, existem na Espanha línguas faladas por muita gente, com grande tradição cultural – o catalão, o basco, o galego –, mas que não conquistaram a importância política do castelhano.

– E no Brasil, Irene? – quer saber Emília. – Qual foi a história do português-padrão que a gente usa hoje?

– No Brasil, a colonização começou pelo Nordeste, e é nesta região que se encontram as cidades mais antigas do país: Salvador, Olinda, Recife. A cultura da cana-de-açúcar fez desta região, durante algum tempo, o centro político, cultural e administrativo do Brasil. Mas a descoberta do ouro em Minas Gerais provocou a transferência da capital da Colônia para o Rio de Janeiro, em 1763, por ser o porto mais próximo para a remessa do ouro para a Europa. Assim, o Rio assumiu o primeiro lugar em importância econômica, política e consequentemente cultural.

Com o século XX, a crescente industrialização de São Paulo levou esta cidade a compartilhar com o Rio a importância econômico-política e cultural. Mais tarde, o peso cultural e político de Minas Gerais começou a se fazer sentir. Tudo isso fez com que o português formal empregado pelas classes sociais privilegiadas residentes no triângulo formado pelas cidades de São Paulo, Rio de Janeiro e Belo Horizonte começasse a ser considerado o modelo a ser imitado, a norma a ser seguida, o português-padrão do Brasil.

E é por isso que as variedades de outras regiões, como a nordestina – economicamente pobre e culturalmente desprestigiada – são consideradas, no melhor dos casos, "engraçadas", "divertidas", "pitorescas" ou, no pior, "grosseiras", "erradas" e "feias", pelos falantes das variedades sudestinas.

– E mesmo dentro da região Sudeste existe muito preconceito, não é, tia? – intervém Vera. – A reação dos moradores das grandes cidades ao modo de falar dos caipiras, por exemplo, é sempre de deboche.

– Bem lembrado, Verinha – responde Irene. – O chamado falar caipira estende-se por uma grande área do Sul-Sudeste, que inclui o interior do Paraná, de São Paulo e uma grande porção de Minas Gerais. O traço mais marcante dessas variedades é o chamado "R caipira", que recebe na fonética o nome técnico de *R retroflexo*. De fato, quase sempre este traço é ridicularizado pelos moradores das cidades grandes.

– E veja que essas regiões que você citou não têm nada de pobre, não é? – lembra Sílvia. – Muito pelo contrário, são regiões muito ricas por causa da agricultura e eu já li reportagens dizendo que o padrão de vida das cidades do interior de São Paulo, por exemplo, é comparável ao de países da Europa.

– É verdade – confirma Irene. – Nesse caso, estamos diante de um preconceito muito antigo e que se encontra em muitos lugares do mundo: a suposta superioridade do urbano sobre o rural.

Que é o português não padrão?

– Se estou entendendo bem – diz Emília –, a língua é um balaio de variedades, e só umas poucas vão ser tiradas do balaio para compor o padrão, certo?

Irene se diverte com a comparação, mas concorda.

– Certo.

– E as outras que sobram no balaio, as coitadinhas, as rejeitadas? – quer saber Emília. – Como é que elas ficam?

– Bem, nós já vimos as razões por que a tão celebrada *unidade linguística do Brasil* não passa de um *mito*, isto é, uma ideia muito bonita, muito conveniente, mas falsa e, para piorar, também prejudicial à educação, porque simplifica a realidade que, como vimos, é bastante complexa. No Brasil, portanto, não se fala "uma só língua portuguesa". Fala-se um certo número de *variedades de português*, das quais algumas chegaram ao posto de norma-padrão por motivos que não são de ordem linguística, mas histórica, econômica, social e cultural. Existe, portanto, um português-padrão, que vamos apelidar de PP, que é essa norma oficial, usada na literatura, nos meios de comunicação, nas leis e decretos do governo, ensinada nas escolas, explicada nas gramáticas, definida nos dicionários.

– Sim, já acompanhei a biografia de *miss* Padrão – insiste Emília –, mas e as variedades que sobraram no balaio?

– O balaio, como você diz, pode ser chamado em conjunto de *português não padrão,* PNP para nós. Esse PNP, logicamente, apresenta variedades de acordo com as diferentes regiões geográficas, classes sociais, faixas etárias e níveis de escolarização em que se encontram as pessoas que o falam. No entanto, existem alguns traços linguísticos comuns a todas essas variedades. Aliás, é justamente desses traços comuns que eu vou tratar no livro que estou escrevendo.

Quem fala o PNP?

– Tia, se o português-padrão é falado pelas pessoas que detêm o poder e estão nas classes sociais mais privilegiadas, que nós sabemos que são uma pequena minoria da população do Brasil, quem é que fala o português não padrão?

– O português não padrão é a língua da grande maioria pobre e dos analfabetos do nosso povo, Verinha. É também, consequentemente, a língua das crianças pobres e carentes que frequentam as escolas públicas. Por ser utilizado por pessoas de classes sociais desprestigiadas, marginalizadas, oprimidas pela terrível injustiça social que impera no Brasil – país que tem a pior distribuição da riqueza nacional em todo o mundo –, o PNP é vítima dos mesmos preconceitos que pesam sobre essas pessoas. Ele é considerado "feio", "deficiente", "pobre", "errado", "rude", "tosco", "estropiado".

– E isso é grave para a educação? – pergunta Emília.

– Claro que sim – responde Irene. – Esses preconceitos fazem com que a criança que chega à escola falando PNP seja considerada uma "deficiente" linguística, quando na verdade ela simplesmente fala uma língua *diferente* daquela que é ensinada na escola.

– Eu nunca tinha pensado nisso – confessa Emília.

– Alguns estudos têm revelado uma triste realidade no nosso sistema educacional – continua Irene. – Os professores, administradores escolares e psicólogos educacionais tratam o aluno pobre como um "deficiente" linguístico, como se ele não falasse língua nenhuma, como se sua bagagem linguística fosse "rudimentar", refletindo consequentemente uma "inferioridade" mental. Isso cria, no espírito do aluno pobre, um sentimento de rejeição muito grande, levando-o a considerar-se incapaz de aprender qualquer coisa. Por outro lado, cria no professor a sensação de estar tentando ensinar alguma coisa a alguém que nunca terá condições de aprender. Daí resulta que o aluno fica desestimulado a aprender, e o professor, desestimulado a ensinar.

– Vai ver que é por isso que tantas crianças pobres acabam abandonando a escola – sugere Emília.

– É claro – confirma Irene. – Por serem desprezadas, por não terem seus direitos linguísticos reconhecidos como tais, por serem obrigadas a assimilar conceitos veiculados numa variedade de português que é estranha para elas... E não estamos falando apenas das "aulas de português", mas de todas as disciplinas lecionadas na escola. Sim, porque *todo professor é professor de língua*, já que ele se serve da língua como meio de transmissão dos conteúdos que lhe cabe ensinar. Por isso, a transformação do modo de encarar as variedades não padrão tem de ser feita em todos os campos da educação, sendo uma tarefa de todos e não apenas dos professores de língua portuguesa.

– Tudo isso é por causa do mito da língua única? – pergunta Sílvia.

– É – responde Irene –, nossa escola não reconhece a existência de uma multiplicidade de variedades de português e tenta impor a norma-padrão sem procurar saber em que medida ela é na prática uma "língua estrangeira" para muitos alunos, senão para todos.

– Que coisa mais injusta! – exclama Vera.

– Imagine que você não sabe nadar e matricula-se num curso de natação – diz Irene. – Na primeira aula, você e todos os demais alunos são jogados dentro do lado fundo da piscina. Aqueles que já souberem nadar conseguirão se salvar e prosseguirão no curso. Os que não souberem, terão que se debater até chegar à beira da piscina e serão mandados embora. Outros, quem sabe, até morrerão afogados.

– É um método de ensino completamente absurdo! – diz Emília.

– Não é mesmo? – reitera Irene. – Mas é assim que acontece na nossa escola. Nosso sistema educacional valoriza aquelas crianças que já chegam à escola trazendo na sua bagagem linguística o português-padrão e expulsa as que não o trazem. Isso é uma grande injustiça, como disse a Vera, porque é exatamente esse português-padrão que deveria ser ensinado na escola, porque ele permite que o aluno originário das classes sociais desfavorecidas se apodere de um recurso fundamental em sua luta contra as desigualdades sociais, tão profundas em nosso país. O domínio da norma-padrão certamente não é uma fórmula mágica que vai permitir ao falante de PNP "subir na vida" automaticamente. Mas é uma forma que esse falante de PNP tem de lutar em pé de igualdade, com as mesmas armas, ao lado dos cidadãos das classes privilegiadas, para ter acesso aos bens econômicos, políticos e culturais reservados às elites dominantes. Por isso devemos brigar pela efetiva distribuição democrática da riqueza linguística, assim como devemos brigar também pela distribuição democrática de tudo mais: terras, empregos, saúde, moradia, transporte, lazer, cultura, educação... Como é fácil ver, trata-se de um problema muito amplo e complexo, que tem relação com a transformação radical do tipo de sociedade em que vivemos, e não somente com a alteração dos métodos pedagógicos do sistema educacional.

O livro de Irene

Irene para de falar. Aproxima as mãos do fogo da lareira, esfrega-as. Põe um pouco mais de chá na caneca, come um biscoitinho.

– Quer dizer que a Eulália fala um português não padrão? – pergunta Emília.

– Exatamente – responde Irene. – A Eulália foi alfabetizada quando tinha mais de quarenta anos. Hoje ela sabe ler e escrever, foi alfabetizada no português-padrão, mas continua empregando no dia a dia a variedade não padrão que é a "língua materna" dela, usada pelas pessoas de sua família e de sua classe social. Aliás, foi durante a alfabetização da Eulália que eu comecei a refletir sobre esses problemas todos.

– E a que conclusões você chegou, tia?

– A muitas, Vera. Por exemplo, se pudéssemos conhecer melhor o português não padrão, talvez conseguíssemos identificar as diferenças que o distinguem do português-padrão.

– Para quê? – indaga Sílvia.

– Com base no conhecimento dessas diferenças talvez pudéssemos perceber as dificuldades que se apresentam para o aluno que tem de aprender a norma-padrão. Poderíamos também, quem sabe, traçar novas estratégias de ensino, fugir da tradicional, que é autoritária e intolerante para com o que é diferente. Se todos compreendêssemos que o PNP é uma língua como qualquer outra, com regras coerentes, com uma lógica linguística perfeitamente demonstrável, talvez fosse possível abandonar os preconceitos que vigoram hoje em dia no nosso ensino de língua.

– Quer dizer que é possível escrever uma "gramática" do português não padrão, do mesmo jeito como existem as gramáticas do português-padrão? – pergunta Vera.

– Claro que é possível – responde Irene. – É nisso que estou trabalhando.

– O seu livro vai ser essa gramática? – pergunta Sílvia .

– Ainda não, Sílvia – responde Irene. – Uma gramática do PNP é um trabalho para muitos e muitos anos. Minha intenção agora é bem mais modesta. Quero apenas contribuir para que o PNP deixe de ser visto como uma língua "errada" falada por pessoas intelectualmente "inferiores" e passe a ser encarado como aquilo que ele realmente é: uma língua bem organizada, coerente e funcional. No meu livro eu não vou abordar todas as diferenças que existem entre o PNP e o PP. Como eu já disse, isso exigiria um trabalho muito maior, que teria de incluir coleta e análise de dados, com gravações autênticas de falantes das variedades. Quero me limitar a algumas diferenças, principalmente *fonéticas*, no modo de *pronunciar* a língua.

– Por que justamente essas? – pergunta Sílvia.

– Porque são as mais evidentes – explica Irene. – A diferença na forma como uma palavra é pronunciada é o que logo nos chama a atenção e nos avisa que uma pessoa fala uma variedade diferente da nossa. Além disso, essas diferenças fonéticas são as mais *estigmatizadas*.

– Estigmatizadas como? – pergunta Emília.

– São elas as que recebem a maior carga de preconceito e rejeição por parte do conhecedor de português-padrão.

– Dê só um exemplo – pede Vera.

– Quando alguém diz "veio", "trabáio", "cuié", por exemplo, ou "grobo", "broco", a maioria dos falantes escolarizados torcem o nariz ou, quando são mais delicados, mordem o lábio para não rir – diz Irene, lançando um olhar maroto para as amigas da sobrinha, que se encolhem, coradas.

O erro e o outro

– Mas vocês não estão sozinhas nessa atitude – explica Irene. – Ela foi e continua sendo ensinada sistematicamente pelos livros didáticos, pelas gramáticas tradicionais, pelos dicionários e, é claro, pela escola. Por isso, a primeira reação de um falante escolarizado diante do PNP é considerá-lo um "português errado, corrompido, estropiado". A noção de "erro" é muito cômoda, pois ela dispensa a gente de ir mais fundo e descobrir as verdadeiras razões que levam o PNP a ser como é.

– É engraçado você dizer isso – comenta Sílvia –, porque uns dias atrás eu tive uma discussão com meu pai exatamente sobre essa questão. O Fábio, meu irmão adolescente, usa o boné com a aba virada para trás, e meu pai vive implicando com ele: "Por que você insiste em usar o boné do jeito errado?" Até que um dia eu falei: "Pai, ele não usa o boné do jeito errado, ele só usa de um jeito diferente!"

– E você está certa – confirma Irene. – O que é errado para seu pai pode ser perfeitamente certo para o Fábio. Seu irmão deve estar obedecendo a algum tipo de regra diferente das regras que seu pai obedece. Pode ser a regra da moda, a regra de uma faixa etária, a regra de uma determinada atitude dos adolescentes de uma determinada classe social, a regra da contestação do tradicional... Ver o que é *diferente* como algo "errado", aliás, é um fenômeno muitíssimo antigo.

– É mesmo, tia?

– Só é – responde Irene. – Os gregos antigos, por exemplo, chamavam de *bárbaros* todos os povos que não falavam a língua grega.

– Ou seja, o resto da humanidade... – diz Emília.

– Exato – confirma Irene. – A própria palavra *bárbaro* é bastante significativa. Ela é uma onomatopeia...

– Que palavrão é esse? – espanta-se Sílvia. – Algum bicho parecido com uma centopeia?

– Explique para elas, Vera – pede Irene.

– Onomatopeia é a palavra que tenta imitar um som que existe – esclarece Vera. – Por exemplo, *reco-reco, tique-taque, cocoricó*, tentam reproduzir o som do instrumento chamado reco-reco, o som do funcionamento do relógio, o som do canto do galo...

– Muito bem – cumprimenta Irene. – A palavra *bárbaro* também queria imitar um som, neste caso o som das línguas que os estrangeiros, os não gregos, falavam. No início, portanto, a palavra *bárbaro* significava simplesmente "estrangeiro, que fala uma língua diferente". Com o tempo, porém, o preconceito tomou conta da palavra, porque quem não falava grego era considerado, "naturalmente", inferior, pouco inteligente, abrutalhado. Foi assim que a palavra *bárbaro* ganhou o sentido que tem até hoje no português-padrão e em muitas outras línguas: "feroz, selvagem, destruidor, não civilizado".

– Gente! Que coisa mais interessante! Eu nem sonhava com isso... – confessa Emília.

– Aliás, é de *bárbaro* que vem o português *brabo, bravo*, no sentido de "feroz" – acrescenta Irene.

– Essa história do preconceito eu já tenho notado em alguns livros que tenho lido no meu curso – diz Vera. – Os portugueses dizem que os brasileiros falam um português "errado". Os franceses dizem que os belgas e suíços falam um francês "feio". Os ingleses acusam os norte-americanos de "deturparem" a língua de Shakespeare. Os espanhóis dizem que os latino-americanos falam um castelhano "viciado"...

– Eu sei o que é isso – comenta Sílvia. – Parece que a questão do diferente, do *outro*, é o grande problema do ser humano em todos os aspectos de sua vida.

– Falou a voz da Psicologia! – ironiza Emília.

– Mas é verdade – prossegue Sílvia. – É difícil para cada um de nós suportar a existência dos outros, tolerar a convivência com tantos *não eu*. A coisa já começa na família, quando somos obrigados a limitar nossa liberdade e a respeitar a dos outros que dividem o mesmo espaço conosco: o pai, a mãe, os irmãos. É um duro aprendizado, que não para nunca e continua ao longo da vida toda: o aprendizado da humildade, da tolerância, da misericórdia... do amor ao próximo, enfim...

– Muito bem explicado, Sílvia, você tem toda a razão – diz Irene. – No esforço enorme que temos de fazer diariamente para aceitar o outro, o diferente de nós, vamos incluir também a *aceitação de uma língua diferente da nossa*, mas que tem tanto parentesco com ela. Vamos ser humildes e tentar ver *o quanto os falantes do português não padrão têm a nos ensinar sobre nós mesmos*.

Erro comum ou acerto comum?

– Como é que você pretende provar para nós, e para os leitores do seu livro, que o português falado pela Eulália, por exemplo, não é errado? – pergunta Emília.

– Respondo com outras perguntas – diz Irene. – Como chamar de erros fenômenos que acontecem de Norte a Sul do Brasil? Como é que tanta gente consegue cometer os mesmos "erros" ao mesmo tempo? Se milhões de pessoas por este Brasil afora dizem "*os oío*" onde você esperaria "*os olhos*", será possível falar de "erro comum", como gostam de dizer os gramáticos tradicionalistas? Não seria o caso de falar de "acerto comum"? O que eu pretendo mostrar, no livro, é que *tudo aquilo que é considerado erro no* PNP *tem uma explicação científica, do ponto de vista linguístico ou outro, lógico, pragmático, psicológico...*

– E quando vamos poder falar de erro, então? – quer saber Emília.

– A noção de erro tem que ser reservada para problemas individuais – responde Irene. – Se alguém ao invés de dizer *cavalo* diz *cafalo*, este sim estará cometendo um erro, devido talvez a problemas físicos na audição ou na fonação, pois essa forma não é registrada em nenhuma variedade do português do Brasil. Mas dizer *pranta* no lugar de *planta* não é um erro: é um fenômeno chamado *rotacismo*, que acontece nas mais diversas regiões do país e que participou da formação da língua portuguesa padrão ao longo dos séculos. Tenho um capítulo só sobre isso.

– Tudo bem – diz Emília –, mas eu insisto: e as provas?

– Para provar que as características do português não padrão não são "erros", eu vou recorrer a duas estratégias principais...

– A saber... – cobra Emília.

– Primeiro, comparar o PNP com outras línguas vivas e mostrar que nelas também ocorrem fenômenos (e não "erros") semelhantes.

– Muito perspicaz... – graceja Emília.

– Em seguida – prossegue Irene, sorrindo com o tom brincalhão da estudante de Pedagogia –, buscar na história da própria norma-padrão as explicações para determinadas características que aparentemente são exclusivas do PNP.

– Por que você escolheu essas duas estratégias? – quer saber Vera.

– Recorrer à história da língua é uma tentativa que faço de mostrar que a língua portuguesa, em todas as suas variedades, continua em transformação, continua mudando, caminhando para as formas que terá daqui a algum tempo. Da mesma maneira como o latim foi se transformando lentamente até resultar nas diversas línguas românicas hoje existentes – italiano, romeno, romanche, francês, provençal, sardo, catalão, espanhol, português –, também cada uma delas continua a se transformar. Daqui a alguns séculos, provavelmente, portugueses e brasileiros não se entenderão mais, pois cada povo poderá estar falando uma língua diferente. Não foi o que aconteceu com o português e o espanhol, tão parecidos, tão próximos, mas ao mesmo tempo tão diferentes que a compreensão mútua total já se tornou impossível?

Características do PNP

– Estou morrendo de curiosidade para conhecer essas diferenças entre o português-padrão e o não padrão – confessa Sílvia. Você não pode adiantar algumas para nós?

– Claro que posso – responde Irene. – Eu fiz até um quadro comparativo para situar melhor essas diferenças. É este aqui.

Irene passa a Vera uma folha de papel. Nela está impresso o seguinte quadro:

Quadro 1

português não padrão	português padrão
natural	artificial
transmitido	adquirido
apreendido	aprendido
funcional	redundante
inovador	conservador
tradição oral	tradição escrita
estigmatizado	prestigiado
marginal	oficial
tendências livres	tendências refreadas
falado pelas classes dominadas	falado pelas classes dominantes

– Agora você vai ter de explicar esse quadro tim-tim por tim-tim! – exige Emília.

– Com prazer, meritíssima juíza! – graceja Irene. – O PNP é *natural* porque sua lógica de funcionamento segue as tendências naturais da língua, que criam regras que são automaticamente respeitadas pelo falante, ao passo que o PP é *artificial* por ser uma norma que sofre as limitações impostas pela sua padronização, que dita regras para serem memorizadas e que exigem treinamento para serem obedecidas.

O PNP é *transmitido* de geração para geração, é um patrimônio linguístico que é compartilhado no convívio com a família e com as pessoas da mesma classe social. O PP tem que ser *adquirido* na escola, por meio principalmente da forma escrita da língua.

As regras do PNP são *apreendidas* naturalmente pelo falante, enquanto as do PP têm de ser *aprendidas*, decoradas, memorizadas, exigindo um treinamento linguístico especial da parte do falante.

O PNP é *funcional* porque trata de eliminar todas as regras desnecessárias e supérfluas, que se repetem e se sobrepõem. Já o PP é *redundante* porque faz uso de muitas regras para dar conta de um único fenômeno. (Veremos isso quando formos tratar da questão dos plurais em PNP).

O PNP é *inovador* porque se deixa levar pelas forças vivas de mudança que estão sempre ativas na língua. O PP, que tem o objetivo de se manter inalterado o máximo de tempo possível, é *conservador* e demora muito a aceitar algum tipo de novidade.

Por ser uma língua familiar, natural, aprendida, o PNP se caracteriza por ter uma forte *tradição oral*, já que o domínio da língua escrita é privilégio dos que frequentam a escola. Há manifestações escritas do PNP, mas elas representam uma gota d'água num oceano de material escrito em PP.

O PNP, como eu já disse, deixa vir à tona as forças ransformadoras da língua e evolui com mais rapidez que o PP, que refreia estas tendências, justamente para impedir que elas o desfigurem muito depressa.

PP e PNP: *mais semelhanças do que diferenças*

Irene faz uma pequena pausa. Aproxima as mãos do fogo da lareira, esfrega-as e depois toma um gole de chá. Em seguida, retoma:

– Até agora nós só falamos das *diferenças* que existem entre PP e PNP, e é justamente dessas diferenças que vou tratar no meu livro, como já expliquei. No entanto, é preciso deixar uma coisa bem clara: *existem muito mais semelhanças do que diferenças entre as variedades do português do Brasil.* Na verdade, se fosse possível colocar num dos pratos de uma balança os traços linguísticos que diferenciam as variedades mais padronizadas e as variedades menos padronizadas e, no outro prato, os traços linguísticos semelhantes, ficaríamos surpresas de ver como as semelhanças são em quantidade muitíssimo maior que as diferenças. É esse elevado grau de semelhança que permite, por exemplo, que um falante escolarizado do Rio Grande do Sul possa se comunicar com um morador analfabeto das palafitas do Amazonas, embora a recíproca nem sempre seja verdadeira: um analfabeto terá dificuldade em entender uma conferência científica ou mesmo um noticiário de televisão que use uma linguagem mais padronizada. Mas, ao mesmo tempo, esse grau de semelhança permite também que um falante de português não padrão aprenda as regras da gramática normativa, desde, é claro, que *a escola realmente queira ensiná-las* a ele.

– Se as semelhanças são tantas, Irene, por que as pessoas escolarizadas em geral insistem em enfatizar sempre as diferenças? – pergunta Sílvia.

– Porque, na verdade, Sílvia, elas não enfatizam as diferenças *linguísticas*, mas sim as diferenças *sociais* – responde Irene. – Podemos até criar um refrãozinho: "Onde tem *variação* também tem *avaliação*". Quando nós, falantes escolarizados de uma variedade urbana culta, rimos (ou temos pena) de alguém que diz *prantá* no lugar de *plantar*, aproveitamos essas diferenças de pronúncia para mostrar que *nós não pertencemos àquela classe social*, àquela comunidade "atrasada", que não fazemos parte daquele grupo desprestigiado... Queremos deixar bem clara a distância *social*, *econômica* e *cultural* que existe entre nós e aquele falante de não padrão. E é daí que nasce o preconceito linguístico...

– Mas não só o linguístico, não é mesmo, Irene? – apressa-se em acrescentar Emília. – Acho que todo tipo de preconceito nasce disso. Basta um pequeno detalhe para tentar justificar a discriminação... Afinal, o que é que diferencia uma pessoa negra de uma pessoa branca, por exemplo? A cor da pele, e nada mais... Todo o resto é igual: boca, olhos, nariz, cabelo, ouvidos, pés, mãos, pele, osso, sangue, cinco sentidos, infinitos sentimentos, incontáveis sensações... Mas na hora de discriminar, de fazer a separação, é a diferença mínima que conta...

– Você tem razão, Emília... – concorda Irene. – Justamente por isso, por haver muito menos diferenças do que semelhanças, é que eu, no meu livro, vou estudar as diferenças, tentar explicar o porquê delas... Aliás, se fosse escrever um livro sobre as semelhanças que existem entre as variedades do português do Brasil, acho que nem no ano 3000 ele ficaria pronto! Além de ser um trabalho enorme, seria também bastante inútil: as semelhanças são tão óbvias, tão evidentes que qualquer criancinha percebe elas... Mesmo assim, nunca é demais insistir, e é bom vocês terem isso sempre na lembrança: *as semelhanças entre as variedades do português do Brasil são muito maiores do que as diferenças*... E essa é uma verdade que devemos sempre salientar, na qual devemos nos apoiar se quisermos provocar uma mudança de atitude, se nos pusermos a combater o preconceito linguístico, que se apoia nas diferenças...

– É uma pena que não seja assim também em tudo mais... – lamenta Sílvia. – As diferenças linguísticas podem não ser tão grandes, mas as diferenças *sociais* e *econômicas* no Brasil são imensas. Outro dia li uma reportagem que dizia que, apesar de termos a nona maior economia do mundo, também temos um dos piores sistemas educacionais do planeta, incompatível com o desenvolvimento tecnológico e industrial do país. E a distribuição de renda é a mais injusta do mundo também, com uma grande concentração de riquezas nas mãos de uns poucos. Em nenhum outro país a desigualdade entre ricos e pobres é tão grande quanto aqui... A reportagem dizia que os pobres do Brasil vivem em condições mais miseráveis que as dos pobres de muitos países africanos bem menos desenvolvidos...

– Infelizmente, é isso mesmo... – suspira Irene. – E todas essas diferenças acabam influindo no momento em que alguém vai avaliar uma variedade linguística não padrão... Baseando-se nessas tremendas desigualdades *sociais* e *econômicas* que a Sílvia mencionou, os falantes escolarizados acabam vendo mais diferenças *linguísticas* do que as que realmente existem entre o padrão e o não padrão...

– Tia – intervém Vera. – A palavra *padrão* me faz pensar na hora em *patrão*. É maluquice minha ou tem mesmo alguma coisa a ver?

– Tem tudo a ver – responde Irene. – Da mesma palavra latina *patronu-* nasceram, em português, as palavras *padrão* e *patrão*.

– Puxa, que coincidência! – surpreende-se Emília.

– Coincidência nada – replica Sílvia. – Isso é na verdade um fato histórico que, pelo que posso farejar, tem muitas consequências de ordem política e social, além de linguística, não é Irene?

– Exatamente, Sílvia – apoia Irene.

– Vocês estão querendo me dizer que a língua *padrão* é a língua do *patrão?* – pergunta Emília.

– Você é que está dizendo! – responde Irene, e todas riem. Mas é isso mesmo, Emília.

Do latim vulgar ao português não padrão

Nesse momento, o relógio grande da sala bate doze badaladas. Irene se espanta:

– Gente, como é tarde! Se eu for dormir depois da meia-noite vou virar uma abóbora!

Todas riem.

– Que pena – lamenta Vera. – O papo estava tão interessante!

– Estava mesmo – confirma Emília. – Que tal se a gente continuasse amanhã?

– Isso mesmo! – aprova Sílvia.

– Eu estou tendo uma ideia absolutamente pavorosa... – insinua Vera.

– Que ideia? – interessa-se Emília.

– Que tal se a tia Irene desse um pequeno curso intensivo de português não padrão para nós?

– De que jeito? – quer saber Sílvia.

– Muito simples – explica Vera. – Ela já está com o livro pronto mesmo. Bastava ela transformar cada capítulo numa aula para nós.

– Que menina mais caxias! – exclama Irene. – Quer estudar até nas férias?

– Acho a ideia muito legal – aprova Sílvia.

– Eu também – endossa Emília.

– E você, tia, o que acha?

Irene reúne seus papéis com cuidado. Folheia-os durante alguns segundos.

– Atendendo a pedidos...

Vera dá um salto, abraça a tia com força, enche-a de beijos.

– O que se pode negar a uma sobrinha apaixonada? – graceja Irene. – Mas já que é assim, preciso concluir essa aula introdutória antes de passar às aulas mais específicas.

– Por favor, ilustríssima doutora... – concede Emília.

– Eu só queria relembrar alguns fatos históricos muito interessantes – diz Irene. – Depois que as legiões romanas conquistavam um território, ele recebia o nome de *província*. Para essa província eram enviados muitos cidadãos romanos: pequenos funcionários públicos, soldados, agricultores, comerciantes, artesãos... enfim, gente do povo que ia colonizar as novas terras conquistadas para o Império. Ora, essa gente do povo não falava o latim clássico, o latim dos grandes oradores, dos poetas e dos filósofos, de Cícero, Horácio, Virgílio, Sêneca... Nada disso. Falava, sim, um latim simplificado, com regras mais flexíveis, mais práticas que as do latim clássico. Esse latim do povo recebeu o nome de *latim vulgar*. Foi esse latim vulgar que os habitantes originais das províncias conquistadas aprenderam, pois seu contato era muito maior com os romanos simples do que com as camadas sociais mais altas do Império. E foi desse latim vulgar que surgiram, com o passar do tempo, todas as línguas chamadas *românicas*, entre as quais o português.

Um romano de alta linhagem certamente achava que o latim vulgar era "latim falado errado", exatamente o que muitas pessoas pensam do português não padrão. No entanto, se desse "latim errado", desse "latim em pó" (como disse Caetano Veloso numa canção sobre a língua portuguesa) surgiram línguas que se tornaram tão importantes na história da humanidade, línguas em que foram produzidas obras-primas inigualáveis da literatura mundial, como *Os Lusíadas*, o *Quixote*, a *Divina Comédia*, é provável que, daqui a alguns séculos, o português não padrão brasileiro também venha a ter uma importância tão grande que nada mais o poderá reprimir.

– Por que você acha isso? – quer saber Sílvia.

– Porque, como a gente vai ver nas próximas "aulas", algumas das características do PNP já estão sendo encontradas nas variedades usadas por falantes cultos, plenamente escolarizados. Isso deixa claro que, por mais que sejam refreadas, as forças de mudança interna da língua nunca param de agir.

UM PROBREMA SEM A MENOR GRAÇA

– rotacização do L nos encontros consonantais –

As aulas foram combinadas para se realizarem na "escolinha", que era o nome carinhoso dado ao pequeno cômodo que Irene mandou construir a poucos metros de distância da casa para desenvolver suas atividades de alfabetizadora. Lá existe uma grande lousa – na verdade, uma das paredes pintada de verde-escuro –, uma pequena estante com livros, cadernos, canetas e caixas de giz, e meia dúzia de mesinhas de madeira com as respectivas cadeiras, dispostas em semicírculo.

– Que gracinha isso aqui, Irene! – comenta Sílvia enquanto as novas "alunas" se acomodam.

– Eu faço o máximo para o ambiente ficar o mais aconchegante possível – explica Irene, organizando sobre uma das mesas um maço de folhas impressas que vai tirando de uma pasta de cartolina. Gosto de deixar bem claro para todo mundo que este lugar é apenas um espaço de trocas de conhecimentos, de intercâmbio de experiências. Eu não sou a única capaz de ensinar alguma coisa: toda pessoa sempre tem algo de interessante, de importante para transmitir aos outros, não é mesmo?

– Claro que é! – responde Emília, entusiasmada. – Eu também sou totalmente a favor de uma pedagogia democrática. De vez em quando, tenho discussões terríveis lá na faculdade com alguns professores que têm saudades da palmatória.

– Fico alegre em ouvir isso – diz Irene, sorrindo.

– Mas, tia, vamos ser sinceras um pouquinho – intervém Vera. – O que é que uma empregada doméstica analfabeta, por exemplo, pode ensinar a uma pessoa como você, que sabe tudo?

– Eu? Sei tudo? – exclama Irene, arregalando os olhos. – Vera, não diga uma bobagem dessas!

– Ora, tia, sabe sim – insiste Vera. – Nunca tive uma dúvida que você não tenha tirado!

– Pode ser, querida – diz Irene –, mas vamos ver uma coisa: que tipo de dúvida?

– Ah, dúvidas... sobre... sobre... meus trabalhos de faculdade, por exemplo... Ou até antes, quando eu era menina, na escola... Você me ensinou muito mais inglês do que todos os cursos que fiz.

– Mas isso é só um *tipo* de conhecimento, Vera – explica Irene. – É um saber acadêmico, livresco, aprendido... É bom, mas não é *tudo*, como você pensa.

– Então, responda à minha primeira pergunta – insiste Vera. – O que é que você aprende com elas?

– Aprendo tanta coisa – responde Irene caminhando até a estante, abrindo-a e retirando de lá um grosso caderno de capa preta – que daria para publicar uma enciclopédia... Vamos ver – ela folheia o caderno e abre-o numa página escolhida ao acaso. – Aqui está: uma série de instruções sobre como tirar manchas dos mais variados tipos... Você já aprendeu isso em algum livro na escola?... Mais: receitas e mais receitas... Cuidados com as plantas, com os bichos que eu crio, com a conservação da casa... Centenas de fórmulas caseiras de remédios à base de plantas medicinais... Hoje em dia eu quase não compro mais remédio em farmácia... Ah, sim – diz ela com olhar carinhoso, alisando uma página –, aquilo que mais me comove...

– O que é? – pergunta Emília, curiosa.

– Uma quantidade enorme de histórias tradicionais, contos populares e cantigas folclóricas... Um verdadeiro tesouro de poesia...

Sílvia consulta o relógio e diz:

– Tudo isso está muito bem, mas vamos começar a aula? Estou ansiosa para conhecer as famosas diferenças entre o português-padrão e o não padrão.

– Muito bem – concorda Irene, devolvendo o caderno à estante. – A Sílvia tem toda a razão.

– Qual vai ser o assunto de hoje? – quer saber Emília.

– O riso – responde Irene, sentando-se.

As três jovens franzem a sobrancelha.

– E desde quando o riso faz parte da gramática, tia? – pergunta Vera.

– Há muito tempo, Verinha, aliás, há milênios... Há séculos e séculos que o riso, o escárnio e o deboche fazem parte do ensino da língua.

Emília coça a cabeça, pensativa e logo arrisca:

– Ontem eu e a Sílvia rimos da fala da Eulália... É por aí?

Irene balança a cabeça afirmativamente.

– Exatamente por aí, Emília. Quantas vezes você já ouviu alguém dizer *Cráudia*, *grobo*, *pranta*, *ingrês*, *broco* e teve muita vontade de rir, se é que não riu gostoso? Ou então, teve pena do "pobre coitado" que "não sabe português" e fala tudo "errado"? Afinal, os professores, os livros, as gramáticas e os dicionários nos ensinam que o "certo", o "bonito" é falar *Cláudia*, *globo*, *planta*, *inglês*, *bloco*...

Emília, Sílvia e Vera estão muito sérias, atentas a cada palavra de Irene.

– Mas será que é mesmo assim tão engraçado? – pergunta Irene. – Vamos ver.

Ela se levanta, vai até a lousa e escreve algumas palavras:

igreja	Brás	praia	frouxo	escravo

Emília as copia no bloquinho de papel que trouxe, pensando que seria útil fazer algumas anotações. Vera e Sílvia não tiram os olhos da lousa.

– Leiam com cuidado estas palavras – pede Irene. – Tudo bem com elas, não é? Estão "certas", não estão?

– Aparentemente sim – responde Vera.

– E de fato estão – confirma Irene. – Mas se você for buscar a história dessas palavras e descobrir de que modo elas ficaram com a forma que hoje têm em português "certo", é provável que tenha uma grande surpresa...

Irene entrega a cada uma delas uma folha impressa.

– Deem uma olhada neste quadro...

Quadro 2

LATIM	FRANCÊS	ESPANHOL	PORTUGUÊS
ecclesia-	*église*	*iglesia*	*igreja*
Blasiu-	*Blaise*	*Blas*	*Brás*
plaga-	*plage*	*playa*	*praia*
sclavu-	*esclave*	*sclavo*	*escravo*
fluxu-	*flou*	*flojo*	*frouxo*

– E então, Emília? – provoca Irene. – Não lhe parece engraçado que onde havia um ʟ em latim (ʟ que se conservou em francês e espanhol) surgiu um "ridículo" ʀ em português? O que terá acontecido? Será que você e um monte de gente desavisada estão usando estas palavras sem saber que são "erradas" ou "engraçadas"?

Emília não ousa dizer nada. Irene prossegue:

– Leiam agora esses versos d'*Os Lusíadas* que estão mais abaixo do quadro. Lembrem-se que *Os Lusíadas* foram escritos por aquele que é considerado o maior poeta da língua portuguesa, Luís de Camões, tido até como o verdadeiro "inventor" da nossa língua literária...

Quadro 3

"E não de agreste avena, ou *frauta* ruda" (canto I, verso 5)

"Doenças, *frechas*, e trovões ardentes" (X, 46)

"Era este *Ingrês* potente, e militara" (VI, 47)

"Nas ilhas de Maldiva nasce a *pranta*" (X, 136)

"*Pruma* no gorro, um pouco declinada" (II, 98)

"Onde o profeta jaz, que a lei *pubrica*" (VII, 34)

Irene olha bem séria para suas "alunas" e pergunta:

– Nós agora devíamos estar rolando no chão de tanto rir, não é? Pois acabamos de descobrir que o tão badalado Camões também "não sabia português", era "burro" e falava "língua de índio"!

– Está mesmo escrito assim, tia, lá n'*Os Lusíadas*? – pergunta Vera.

– Pois está – responde Irene. – Não é terrível? Será que não houve uma só alma caridosa que dissesse a ele: "Não, Luís, não é *frauta, frecha, ingrês, pranta, pruma, pubrica*, mas sim *flauta, flecha, inglês, planta, pluma, publica*"?

Irene para e observa o ar surpreso das três jovens.

– Mas ainda há pior – ameaça ela. – Vocês se lembram de José de Alencar e de Machado de Assis? Pois é, eles também escreviam *froco* em vez de *floco*.

– Decifre logo esse enigma, Irene – pede Emília. – Minha curiosidade está me mordendo toda!

Irene sorri:

– Mas a coisa é bem simples, Emília. Existe na língua portuguesa uma tendência natural em transformar em R O L dos encontros consonantais, e este fenômeno tem até um nome complicado: *rotacismo*. Quem diz *broco* em lugar de *bloco* não é "burro", não fala "errado" nem é "engraçado", mas está apenas acompanhando a natural inclinação rotacizante da língua. O que era L em latim, nessas palavras do quadro 3, permaneceu L em francês e em espanhol, mas em português se transformou em R. Já em italiano, só para vocês saberem, este mesmo L virou um I: *fiamma* ("flama"), *fiore* ("flor"), *pianta* ("planta").

– Se a tendência é essa – pergunta Emília –, porque existem palavras em português que mantiveram aquele L depois de consoante?

– Há mais de uma razão, Emília – responde Irene –, mas nenhuma delas tem nada a ver com "certo" ou "errado". Pode ter sido uma tentativa de alguns escritores e gramáticos de "recuperar" a forma latina original. Pode ter sido uma simples questão de opção: na época de Alencar e Machado havia a liberdade de escolha entre *froco* e *floco*, o que hoje já não existe. O próprio Camões, n'*Os Lusíadas*, escreve ora *ingrês*, ora *inglês*. Por razões como essas, entre outras, é que algumas palavras permaneceram na norma-padrão com o L do latim, enquanto outras, pelo fenômeno do rotacismo, ficaram com o R. E como os hábitos e os gostos linguísticos mudam e variam, hoje já não está mais "na moda" dizer *frecha*, *froco*, *pranta*...

– Puxa vida – deixa escapar Sílvia –, eu nunca ia poder imaginar uma coisa dessas...

– Nem eu – confessa Emília –, juro que nunca mais vou rir de quem disser *chicrete* em vez de *chiclete*.

– Como eu expliquei ontem – retoma Irene –, o português não padrão é coerente na sua obediência às tendências da língua. Os falantes do PNP só conhecem encontros consonantais com R. Na *variedade* deles simplesmente *não existem* encontros consonantais com L.

– Mas como essas pessoas são pobres, analfabetas ou quase – deduz Vera –, vivem nos piores lugares das cidades, estão longe dos centros de poder, não escrevem livros nem trabalham nas novelas de televisão, a língua que elas falam é considerada "engraçada", "pobre", "feia", "errada", e por isso a gente é ensinada (e ensina) a rir desse modo de falar...

– Mas não devia ser assim, não é? – completa Irene. – A gente ri de uma frase como *"Cráudia fala ingrês e gosta de chicrete"*, mas não ri de *"A igreja de São Brás é perto da praia"*, muito embora as palavras das duas frases tenham uma mesma explicação histórica. E por que a gente ri? Porque a segunda frase tem palavras que pertencem à língua literária, à língua escrita, à língua que se aprende na escola e é usada pelas pessoas importantes, ricas, poderosas, "bonitas". Já a primeira frase, não. Ela tem palavras usadas por pessoas que, como bem disse a Vera, sofrem com as injustiças sociais, nunca puderam ir à escola aprender a língua literária, escrita, dos "ricos", e falam um português diferente do nosso. Mas, como estamos vendo, a língua delas não tem problema nenhum: é coerente, segue as tendências naturais do português e tem uma lógica histórica.

– O problema dessas pessoas, então – conclui Sílvia –, não é linguístico, é social?

– Exatamente – confirma Irene. – E enquanto não for resolvido, continuará a ser um *problema* sem a menor graça...

Emília, Vera e Sílvia ficam sérias e pensativas. Irene percebe o clima, e para quebrar o silêncio, bate palmas e diz:

– Meninas, não sei vocês, mas eu estou roxa de frio e azul de fome. Que tal a gente ir para a cozinha preparar uma boa sopa?

E assim dá por encerrada aquela aula.

UMA LÍNGUA ENXUTA
– eliminação das marcas de plural redundantes –

No serão seguinte, para surpresa de suas três hóspedes, Irene traz para a "escolinha" um aparelho de som portátil e uma fita-cassete.

– Aula com música, tia? – pergunta Vera, curiosa.

– Isso mesmo, Verinha – responde Irene introduzindo a fita-cassete no compartimento.

– Rock, pop, brega ou tango? – arrisca Emília.

– Nenhum desses gêneros, Emília – diz Irene. – O que vocês vão ouvir é uma pequena joia do nosso folclore musical, uma canção popular, aliás uma das minhas favoritas. Reparem bem na melodia, como é linda. Lá vai...

Irene aperta uma das teclas do aparelho e a música enche o pequeno cômodo. Quando a canção termina, ela desliga o aparelho e pergunta:

– E então? O que acharam?

– É linda mesmo, tia – responde Vera.

– Quem está cantando? – quer saber Emília. – Acho que conheço essa voz.

– É a Nara Leão – responde Irene. – Uma voz pequena, mas muito meiga. Morro de saudades da Nara, morreu tão moça...

– E como se chama essa música? – indaga Sílvia.

– "Cuitelinho".

– Eu ouvi essa palavra, mas não entendi... O que é? – pergunta Emília.

– "Cuitelinho" é o nome do beija-flor em algumas partes do Centro-Sul do Brasil.

– E quem compôs? – interessa–se Vera.

– Não se sabe – responde Irene –, como toda autêntica canção folclórica, essa não tem autor conhecido... Mas temos o nome do pesquisador que a recolheu da boca do povo: Paulo Vanzolini.

– Ele é linguista assim feito você? – pergunta Sílvia.

– Não que eu saiba – sorri Irene. – Paulo Vanzolini é zoólogo, pesquisador musical e compositor. Vocês certamente conhecem pelo menos uma das composições dele, a famosíssima "Ronda"...

– "De noite, eu rondo a cidade, a te procurar, sem encontrar"...
– cantalora Sílvia.

– Essa mesma – confirma Irene. – É um número obrigatório em toda roda de bar, em toda seresta... "Ronda" já teve várias gravações.

– E o que você quer fazer com essa música do "Cuitelinho"? – pergunta Emília.

– Acho que nós podemos usar essa canção para tentar conhecer algumas das regras que estruturam aquilo que grande parte das pessoas instruídas chamam de "fala de caipira", "fala de matuto", "língua de jeca", "língua de caboclo", "português errado", mas que nós, conscientes de que todas essas denominações estão recheadas de um enorme preconceito social, vamos chamar simplesmente de português não padrão, combinado?

– Combinado – repetem as três em coro.

– Como eu venho repetindo, e não me canso de insistir, o fato de não ser um padrão, de não ser um modelo a ser imitado por quem se considera instruído, não significa que esta variedade do português seja "errada", "pobre de recursos", "insuficiente para a expressão"... Muito pelo contrário, como temos visto e veremos, ela tem uma clara lógica linguística, tem regras que são coerentemente obedecidas, e serve de material para uma literatura popular muito rica.

Irene distribui algumas folhas de papel:

– Aqui está a letra da canção.

Emília pede:

– Põe para tocar de novo, Irene, para a gente poder acompanhar a letra agora.

Irene atende ao pedido. E de novo se escuta a canção "Cuitelinho", na voz de Nara Leão:

> Cheguei na bera do porto
> onde as onda se espaia.
> As garça dá meia volta,
> senta na bera da praia.
> E o cuitelinho não gosta
> que o botão de rosa caia.

> Quando eu vim de minha terra,
> despedi da parentaia.
> Eu entrei no Mato Grosso,
> dei em terras paraguaia.
> Lá tinha revolução,
> enfrentei fortes bataia.
>
> A tua saudade corta
> como o aço de navaia.
> O coração fica aflito,
> bate uma, a otra faia.
> E os oio se enche d'água
> que até a vista se atrapaia.

– Pelo que posso farejar aqui – diz Emília –, essa música é um prato cheio para o estudo do português não padrão.

– Farejou bem, Emília – concorda Irene. – Estou pensando em usar "Cuitelinho" para explicar vários fenômenos do PNP. Mas hoje vamos cuidar só de um deles.

– Qual? – quer saber Sílvia.

– A questão dos plurais – responde Irene.

– Foi mesmo o que mais me chamou a atenção, tia – diz Vera. – É impressionante: não tem um plural certo na música toda?

– Lá vou eu bater na mesma tecla – suspira Irene. – Verinha, o que existe aqui é um sistema diferente de formação de plurais, só isso. Lembre-se que estamos falando do português não padrão, que tem regras gramaticais diferentes das do português-padrão.

– E qual é a diferença agora? – pergunta Emília.

– A diferença é a *redundância* – responde Irene. – No português-padrão existe aquilo que se chama *marcas redundantes de plural*.

– "Redundante" não quer dizer "repetitivo", "que é demais", "que está sobrando"? – pergunta Sílvia.

– Isso mesmo. Na nossa norma-padrão de português, para indicar que estamos falando de mais de uma coisa, acrescentamos "marcas de plural" em muitas palavras da frase. Vejam só...

E Irene escreve na lousa estas duas frases:

> • Quero te dar a linda flor amarela que brotou no meu jardim.
> • Quero te dar as lindas flores amarelas que brotaram no meu jardim.

Depois volta a falar:

– Para informar que se trata de mais de uma flor, o PP precisa de *cinco* marcas de plural, que modificam várias classes de palavras: artigo, substantivo, adjetivo, verbo... É o que a gente aprende e ensina na escola com o nome de *concordância de número*. Essa quantidade de marcas de plural é, do ponto de vista lógico, uma redundância desnecessária e, do ponto de vista econômico, um gasto excessivo, não concordam?

– Nunca tinha parado para pensar nas coisas desse jeito – admite Vera.

– Sabe o que o português-padrão parece? – diz Emília.

– O quê? – pergunta Irene, curiosa.

– Parece um daqueles vendedores que sabem convencer um cliente. A gente entra na loja procurando uma camisa bonita para ir numa festa, e ele consegue fazer a gente comprar também uma calça, um par de meias, um colete e um cinto, tudo "combinando"...

– A comparação é perfeita, Emília – aprova Irene.

– A gente acaba saindo da loja com mais coisas do que precisava, e com menos dinheiro no bolso... – conclui Emília.

Todas riem.

– O português não padrão é bem diferente disso – prossegue Irene. – Ele é mais sóbrio, mais econômico, mais modesto, menos "vaidoso". Sua regra de plural é a seguinte: "marcar uma só palavra para indicar um número de coisas maior que um". E esta regra é rigidamente obedecida em todos os versos da canção, reparem bem:

> • Cheguei na bera do porto / onde as onda se espaia
> • As garça dá meia volta, / senta na bera da praia
> • Eu entrei no Mato Grosso, / dei em terras paraguaia
> • Lá tinha revolução, / enfrentei fortes bataia
> • E os oio se enche d'água

–Puxa, é mesmo –reconhece Sílvia –, que PNP mais obediente esse!

– A regra, como vocês podem ver, tem uma hierarquia rígida: a marca indicadora de plural é usada apenas no artigo definido. Quando não há artigo, ela vai para a primeira palavra do grupo a ser pluralizado, que pode ser um substantivo (como em "terras paraguaia") ou um adjetivo ("fortes bataia"). Na verdade, a marca de número funciona como um "sinal", um "aviso" de que aquele grupo de palavras está no plural: por isso ela é sempre usada na primeira palavra do grupo.

– E isso é suficiente? – pergunta Emília.

– Suficiente e eficiente – responde Irene. – A prova disso é que mesmo um falante de PP, por mais preconceituoso que seja, entende perfeitamente a diferença entre "as garça dá meia volta, senta na bera da praia" e "a garça dá meia volta, senta na beira da praia". Aliás, se você prestar atenção na fala das pessoas com quem convive em casa, no trabalho, no círculo de amizades, vai perceber que em situações informais, descontraídas, mesmo as pessoas ditas cultas aplicam a regra de plural do PNP.

– É verdade, tia, eu já reparei isso – confirma Vera.

– Não sei não – duvida Emília. – Eu tenho certeza de que não falo assim nunca. Meus plurais estão sempre bem marcadinhos, bonitinhos...

– Será mesmo? – diz Irene, piscando um olho. – Um dia a gente grava a sua fala numa situação informal e depois põe a fita para tocar. Sou capaz de apostar que vai haver muito plural "faltando"...

Quem mais fala assim?

– Essa regra de eliminação das marcas de plural redundantes só existe em português não padrão, Irene? – pergunta Sílvia.

– Que nada! – responde Irene. – As duas línguas estrangeiras mais ensinadas nas escolas, o inglês e o francês, têm regras bastante parecidas.

– Não diga! – surpreende-se Sílvia.

– Digo sim – reitera Irene. – Veja este exemplo do inglês...

A professora escreve na lousa:

> • My beautiful yellow <u>flower</u> died yesterday.
> ("Minha bela flor amarela morreu ontem")
>
> • My beautiful yellow <u>flowers</u> died yesterday.
> ("Minha<u>s</u> bela<u>s</u> flor<u>es</u> amarela<u>s</u> morre<u>ram</u> ontem")

– Observe, Sílvia, que, na segunda frase, a única informação que temos de que se trata de muitas flores é dada pelo -*s* do plural de *flowers*. Todo o resto da frase permanece inalterado. Repare que, na tradução, o PP exige nada menos do que cinco marcas indicadoras de plural.

– É mesmo – surpreende-se Emília.

– E isso é inglês padrão, minha gente, inglês "corretíssimo" – explica Irene. – Agora, um pouco de francês...

Irene escreve na lousa:

> • Je veux te donner <u>la belle fleur jaune qui poussait</u> dans mon jardin.
> ("Quero te dar a bela flor amarela que crescia em meu jardim")
>
> • Je veux te donner <u>les belles fleurs jaunes qui poussaient</u> dans mon jardin.
> ("Quero te dar a<u>s</u> bela<u>s</u> flor<u>es</u> amarela<u>s</u> que crescia<u>m</u> em meu jardim")

– Agora peguei você – diz Emília, em tom satisfeito, depois que Irene termina de escrever. – A segunda frase do francês não tem tantas marcas de plural quanto a do português? Quero ver você se sair dessa!

– Muito simples – sorri Irene. – Me saio com o velho ditado: "As aparências enganam"... O francês *escreve* as marcas de plural, mas *não as pronuncia nunca*! Deixe eu ler estas duas frases para você.

Irene lê com cuidado as duas frases em francês escritas na lousa.

– Percebeu que a única diferença *audível* entre elas está no artigo? – pergunta ela a Emília. – No singular, *la*; no plural, *les*... Todo o resto fica igualzinho. O francês é uma língua de ortografia muito difícil justamente por isso: a gente escreve uma quantidade enorme de coisas, mas só pronuncia umas poucas... Escreve-se o *-s* do plural e as terminações diferentes dos verbos, mas elas *nunca* são pronunciadas. O único "aviso" que temos, no francês falado, de que as palavras estão no plural é o artigo...

– Exatamente o mesmo que acontece no português não padrão! – exclama Vera. – Que loucura!

PNP: *uma língua em dia com a moda*

– Quer dizer então que quem diz "*as coisa*" realmente não é "burro" nem "atrasado" – comenta Sílvia. – Senão teríamos de chamar de "burros" e "atrasados" os franceses e os ingleses, e ninguém ousa fazer isso.

– É claro que não – concorda Irene. – Essa regra de plural do PNP fez nascer uma coisa bastante curiosa na fala de muitos mineiros que eu conheço...

– Que coisa, tia?

– Se você disser isso aos mineiros, eles provavelmente vão negar, mas já está documentado, gravado em fita e filmado em videocassete.

– O que é afinal? – impacienta–se Emília.

– Na fala informal dos mineiros, é comum a gente ouvir exclamações do tipo "Ques criança mais linda!", ou perguntas como "Ques coisa você quer que eu traga?"

– Gente, que divertido! – exclama Emília. – Eles levam a sério a regra do plural na primeira palavra!

Todas sorriem. Irene volta a falar:

– Vocês certamente já leram nos jornais ou ouviram pela televisão expressões como "corte de supérfluos", "enxugamento da máquina", "eliminação de gorduras", aplicadas a situações políticas, econômicas ou administrativas, não é?

– Já – confirma Sílvia. – Aliás, detesto esse linguajar!

– Eu também – confessa Irene. – Essas expressões são a última moda no desfile de soluções pretensamente mágicas para a crise social e econômica. Pois, vejam só, o nosso português não padrão está perfeitamente de acordo com essas "novas tendências". Como vimos no caso dos plurais, o PNP corta todas as marcas "supérfluas", "redundantes": para que tantos "funcionários" para fazer o serviço que um só dá conta de realizar? Isso torna o PNP uma língua "enxuta", e consequentemente mais dinâmica, ágil e flexível do que o PP.

– Ah, Irene, por favor, não me decepcione! – suplica Sílvia. – Não me diga que você concorda com essas ideias!

– Claro que não, bobinha, não se apavore – responde Irene, abraçando Sílvia. – Fiz a comparação só para a gente se divertir um pouco.

– Graças a Deus! – diz Sílvia, aliviada.

– Como já enfatizei, não vamos querer eliminar o português padrão das escolas e passar a ensinar o PNP. Mas o conhecimento dessas regras serve para que fiquemos mais atentas às *diferenças* que existem entre as duas variedades... Diferenças que quase sempre, infelizmente, são logo consideradas "erros" por quem não consegue compreender a lógica que existe nelas...

LIBERDADE, FRATERNIDADE, IGUALDADE
– transformação de LH em I –

O caso do plural já está resolvido – comenta Emília. – Mas tem outra coisa aqui que também me chama muito a atenção.

– E o que é, Emília? – pergunta Irene.

– Eu já reparei isso na fala de muita gente e agora na letra do "Cuitelinho" apareceu de novo... É essa preguiça que o povo tem de pronunciar o LH direito. Em vez de *trabalho*, diz *trabaio*; em vez de *telha*, diz *têia*...

– Pois é esse justamente o tema da segunda parte da nossa conversa de hoje – explica Irene. – Só que você não colocou o problema em termos adequados, Emília...

– Para variar... – comenta Sílvia, em tom de pilhéria.

– Não é que os falantes do PNP sejam "preguiçosos" ou, como dizem alguns gramáticos de visão estreita, "mentalmente inferiores". Nada disso. Simplesmente, na variedade de português que eles falam *não existe este som consonantal*.

– Não existe? – surpreende-se Vera.

– Não existe – repete Irene. – Do mesmo modo como em português-padrão não existe, por exemplo, a consoante que em inglês se escreve TH, como em *thing* ("coisa"). Quando um falante de português pronuncia, digamos, o nome da Sílvia colocando a ponta da língua entre os dentes, logo percebemos que ele tem um defeito de fala, que recebe até um nome técnico, *ceceio*.

– Eu tenho um primo que fala desse jeito – confirma Sílvia. – E ele ainda tem o azar de se chamar Celso... Todos sempre zombam dele porque tem a língua presa...

– Só que em inglês, quem não pronunciar o TH com a língua entre os dentes é que vai ser considerado defeituoso, não é? – pergunta Vera.

– Isso mesmo – confirma Irene. – É mais uma prova de que os nossos juízos de valor a respeito do "falar certo" variam de uma língua para outra e, dentro da mesma língua, de uma variedade para outra.

– É isso que acontece também com o R torto dos caipiras? – quer saber Emília.

– Bem lembrado – responde Irene. – O r "caipira", que nós linguistas chamamos r *retroflexo*, é vítima de muita zombaria por parte dos falantes das variedades urbanas. No entanto, esses mesmos falantes vão para os cursos de inglês aprender a pronunciar esse r em palavras como *fork* ("garfo"), *morning* ("manhã"), *carpet* ("tapete"), à maneira dos americanos. E não me consta que fiquem zombando dessa pronúncia nem chamando os americanos de "caipiras"...

Emília dá um longo suspiro, levanta-se, põe a mão no peito, inclina–se e diz, em tom jocoso:

– Queira-me perdoar, senhora professora doutora, deixei-me levar pelos meus preconceitos...

Irene sorri, Emília volta a sentar-se e diz:

– Já que é proibido falar em "preguiça do povo", como é que você explica, aqui na letra da música, *espaia* no lugar de "espalha", *parentaia* no lugar de "parentalha", *bataia* no lugar de "batalha", *navaia* no lugar de "navalha", *faia* no lugar de "falha" e *atrapaia* no lugar de "atrapalha"?

– Acho que podemos, mais uma vez, comparar o português não padrão com outras línguas – sugere Irene. – No espanhol padrão, que é aquele falado na região de Castela (daí o nome "castelhano"), tudo o que se escreve LL é pronunciado "lhê", equivalente ao LH do português-padrão. No entanto, dentro da própria Espanha, nas demais regiões do país, este grupo LL é pronunciado "i", e os espanhóis falantes do "castelhano" padrão têm até um nome para esta pronúncia diferente que eles, é claro, consideram um "defeito".

– E que nome é esse? – interessa–se Vera.

– É "yeísmo" – responde Irene. – O "yeísmo" acontece também no espanhol falado na América Central, nas ilhas do Caribe e em diversos países da América do Sul. Por causa do "yeísmo", aquilo que se escreve *caballo*, "cavalo", com LL, e que os castelhanos pronunciam "cabalho", nas outras variedades se pronuncia "cabaio"... Como se pode ver, este "problema" não é só dos falantes do português não padrão.

– Que interessante – comenta Sílvia.

– No francês, até início do século passado – continua Irene –, o LL do grupo que é escrito -ILL se pronunciava como o LH do português padrão, e os gramáticos, apavorados com o desaparecimento desta consoante, substituída pela semivogal "i", fizeram todos os esforços possíveis para salvá-la da extinção. Mas de nada adiantou a campanha deles... E hoje, se compararmos algumas palavras do português-padrão, do francês-padrão e do português não padrão, vamos ver que essas duas últimas variedades têm pronúncias bem próximas. Eu até trouxe um quadro para a gente fazer a comparação.

Irene dá a cada uma das "alunas" uma folha, onde está impresso o seguinte quadro:

Quadro 4

Português Padrão	Francês Padrão	Português Não Padrão
abelha	abeille *(abéy^e)*	abêia
alho	ail *(ay)*	ai
batalha	bataille *(batáye)*	bataia
colher (substantivo)	cuiller *(küyér)*	cuié
falha	faille *(faye)*	faia
filha	fille *(fíye)*	fia
palha	paille *(páye)*	paia
trabalhar	travailler *(travayê)*	trabaiá

– Vou ler as palavras em francês para vocês perceberem a semelhança com o português não padrão e entenderem a tentativa de transcrição fonética que coloquei entre parênteses – diz Irene, e assim faz.

Primeira explicação: dentro da língua

– O que será que provocou, no francês-padrão, o desaparecimento total da consoante? – interessa-se Vera.

– Podemos tentar duas explicações – responde Irene. – A primeira é de ordem linguística, diz respeito à língua em si, à sua estrutura. Quem nos apresenta o motivo da extinção do "lhê" em francês é um linguista alemão, Heinrich Lausberg, autor de um dos mais completos tratados sobre as línguas românicas. Eu copiei a citação aí nesta folha, embaixo do quadro.

Emília, Vera e Sílvia leem no lugar indicado:

> Por afrouxamento e, finalmente, abandono da oclusão central, forma-se do /ʎ/ (difícil de pronunciar por causa da elasticidade reduzida do dorso da língua) muito naturalmente a fricativa /y/ como em francês, espanhol popular e dialetal.
>
> LAUSBERG, H. *Linguística românica*. 2. ed. Lisboa: Fundação Calouste Gulbenkian, 1981. p. 71

– Parece que o Lausberg não sabe que a mesma coisa acontece no português não padrão do Brasil – comenta Vera.

– O que ele quis dizer com tantos nomes complicados? Juro que não entendo a "variedade" dele – confessa Emília.

– É simples – diz Irene, sorrindo. – Ele quis dizer que a consoante /ʎ/ (este é o símbolo usado pelos linguistas para representar o som "lhê") é produzida com a ponta da língua tocando o palato (nome "oficial" do céu da boca), muito perto do ponto onde é produzida a semivogal /y/ (símbolo usado para representar o "i" de *pai*). Experimentem pronunciar a sequência *lha-lha-lha* e depois a sequência *ai-ai-ai* e tentem perceber para onde vai a língua.

As três fazem a experiência e se divertem com os sons produzidos.

– Perceberam? – pergunta Irene. – Esta proximidade, e a comodidade maior de se pronunciar o "i", segundo o Lausberg, levaram à transformação. Vamos estudar este fenômeno em outras conversas mais adiante. Por enquanto, vocês podem ir guardando o nome dele: *assimilação*.

– Parece que é mesmo "difícil" pronunciar o "lhê" – confirma Vera. – Eu já reparei que é muito comum a pronúncia *trabáio*, *véio*, *abêia* na fala de estrangeiros que aprendem o português.

– Muito bem lembrado, Verinha – confirma Irene. – Como essas pessoas não têm, em suas línguas, a consoante /λ/ e sentem dificuldade em pronunciá-la, substituem-na pelo som mais próximo que encontram, que é justamente o /y/...

Irene levanta-se da cadeira, vai até a lousa, pega um bastão de giz e escreve alguma coisa. Volta-se para as três jovens e diz:

– Vamos acompanhar a trajetória completa de uma palavra do latim até o português. Esta palavra é *tégula* ("telha"). Durante a formação da língua portuguesa, desde o latim vulgar até sua forma moderna, padrão, aconteceram as seguintes transformações... – ela vai apontando as palavras enquanto as lê na lousa:

> tégula > teg'la > tegla > teyla > telya > telha

– O que significa esse sinal entre uma palavra e outra? – pergunta Sílvia.

– Significa "transformou-se em" – explica Vera, lembrando-se de suas aulas na faculdade.

– Isso mesmo – confirma Irene. – Agora vejam só: como a forma "telha" pertence à língua padrão, ao português clássico literário, as gramáticas históricas param aí, como se a língua tivesse encerrado seu processo de mudança no século XVI... Mas toda língua está sempre se modificando, de forma ininterrupta e imperceptível para seus falantes, mas sempre se modificando. Por isso, para representar a realidade linguística do português não padrão do Brasil com alguma fidelidade, temos de acrescentar mais uma forma nessa sequência de transformações.

Irene acrescenta uma palavra à sequência, que fica então assim:

> tégula > teg'la > tegla > teyla > telya > telha > têia

– Só que este pequeno acréscimo representa um passo político muito grande – explica ela.

– Por quê? – pergunta Sílvia.

– Porque *estaríamos reconhecendo a existência de uma outra varie-dade de português*, e exigindo que as gramáticas, o ensino oficial e os meios de comunicação a tratassem com o respeito que lhe é devido.

Segunda explicação: fora da língua

– Se bem me lembro, Irene, você disse que podia dar duas explicações diferentes para esse mesmo fenômeno – diz Emília. – A primeira já vimos. E a segunda?

– A segunda explicação para a vitória do "i" sobre o "lhê" em francês é histórica, política, está fora da língua – responde Irene.

– Como vocês sabem, a França viveu um período de grandes conturbações políticas no final do século XVIII...

– A famosa Revolução Francesa – completa Sílvia.

– A própria – confirma Irene. – A Revolução Francesa de 1789 tirou do poder a classe social dos aristocratas, nobres e grandes proprietários de terra. No lugar deles ela colocou outra classe social, a dos burgueses comerciantes, banqueiros e industriais da cidade. A mudança de classe social também significou mudança de variedade linguística dominante.

– Afinal, a língua *padrão* não é a língua do *patrão*? – recorda Sílvia.

– No antigo regime – prossegue Irene –, a fala dos burgueses era ridicularizada, tratada com desprezo pelos aristocratas, exatamente como o português não padrão do Brasil é tratado pelos falantes escolarizados.

– Gente, como a história se repete! – exclama Emília.

– Não é mesmo? – diz Irene. – Ora, justamente na fala daqueles burgueses é que estava acontecendo com toda a liberdade o desaparecimento do "lhê" para dar lugar ao "i". Por isso é que, poucas décadas depois da Revolução, no início do século XIX, ninguém mais sabia pronunciar a antiga consoante /λ/.

Educar é diferente de ensinar

– Mas aqui no Brasil ainda estamos no "antigo regime" da consoante – comenta Vera.

– Pois é – confirma Irene –, a variedade de português em que não existe o "lhê" é usada pelas pessoas menos prestigiadas da nossa sociedade...

– Os trabalhadores rurais, os analfabetos, os moradores das favelas, as classes de renda mais baixa – completa Sílvia.

– E o que acontece com essa variedade? – indaga Irene.

– Ela é alvo de todo tipo de preconceito e julgamento negativo – responde Vera.

– E se a gente propusesse também uma "revolução" nesse modo de encarar o português não padrão? – sugere Sílvia. – Podíamos aplicar à nossa prática de ensino o lema dos revolucionários franceses de 1789: *Liberdade, igualdade, fraternidade*.

– Claro que sim, por que não? – retoma Irene. – A prática tradicional de ensino da língua portuguesa no Brasil deixa transparecer, além da crença no mito da "unidade da língua portuguesa", a ideologia da necessidade de "dar" ao aluno aquilo que ele "não tem", ou seja, uma "língua". Essa pedagogia paternalista e autoritária faz tábua rasa da bagagem linguística da criança, e trata-a como se seu primeiro dia de aula fosse também seu primeiro dia de vida. Trata-se de querer "ensinar" ao invés de "educar".

– E qual é a diferença? – pergunta Emília. – Para mim esses dois verbos eram sinônimos.

– Nem me fale em sinônimo que eu fico logo toda arrepiada – diz Irene. – Mas vamos ver a diferença. O verbo "ensinar", Emília, provém do latim *in+signo*, isto é, "pôr um sinal em" alguém, e implica uma ação de *fora para dentro*, implantar alguma coisa (um "signo" ou um conjunto de "*sign*ificados") na mente de alguém. Já "educar" vem de *ex+duco*, "trazer para fora, tirar de, dar à luz", num movimento que se faz na direção oposta à de "ensinar".

– Preciso anotar isso correndo – diz Emília.

– Nossa escola, nossas gramáticas normativas, nossos livros didáticos, nossa psicologia educacional – prossegue Irene –, imbuídos da crença de que um aprendiz nada tem a mostrar, e que, ao contrário, é "deficiente", "carente", "inepto", assumem sem disfarce a tarefa de "ensinar", de incutir uma língua diferente, tida como intrinsecamente "boa" e "perfeita". O fracasso dessa atitude fica bem claro no número impressionante de alunos que abandonam a escola. Isso vem demonstrando que já é hora de tentar *educar*, de destravar os alunos das classes desfavorecidas, para que possam "pôr para fora" suas experiências, sua língua, e passem a falar por si mesmos.

Irene faz uma pequena pausa, respira fundo e retoma:

– É importante que nós, educadores, tenhamos em mente que o português não padrão é *diferente* do português-padrão, mas igualmente lógico, bem estruturado e que ele acompanha as tendências naturais da língua, quando não refreada pela educação formal. O PNP não é "pobre", "carente" nem "errado". Pobres e carentes são, sim, aqueles que o falam, e errada é a situação de injustiça social em que vivem.

Uma língua rica

– Você tem toda razão, Irene – apoia Sílvia. – Como chamar de pobre a língua de quem compõe uma canção tão bonita como "Cuitelinho"?

– Essa é uma das minhas paixões no estudo do português não padrão – diz Irene. – Nessa variedade é produzida uma riquíssima literatura popular, que poderia ser mais explorada nas escolas, até para afastar delas o preconceito que ainda pesa sobre o PNP.

– Você proporia uma análise literária de "Cuitelinho" em sala de aula? – pergunta Vera.

– Claro que sim – responde Irene. – "Cuitelinho" tem imagens poéticas muito bonitas, tem rima e métrica perfeitas, e se encaixa numa tradição secular de poesia lírica da língua portuguesa, que remonta aos trovadores do século XIII. É uma canção, com letra e melodia, e usa o tradicional verso de sete sílabas. Repare que cada uma de suas estrofes aborda um aspecto diferente da vida do poeta. A primeira é uma visão objetiva da paisagem, uma descrição da natureza, um panorama "ecológico". A segunda situa a trajetória geográfico-histórica do poeta: de sua casa até a fronteira entre Paraguai e Mato Grosso, numa época de "revolução"...

– Provavelmente a guerra do Paraguai – arrisca Sílvia. – Aqui diz "enfrentei fortes bataia"...

– Provavelmente – diz Irene. – A terceira estrofe, bastante subjetiva, nos dá um retrato dos sentimentos amorosos do poeta. Observem um aspecto bonito desta canção: não há nenhuma marca linguística que indique o sexo da pessoa que se identifica com o "eu" do poeta, de maneira que tudo aqui pode estar sendo cantado igualmente por um homem ou por uma mulher.

– Tudo isso numa cançãozinha simples de nada – comenta Emília.

– Mas muitos poetas "eruditos" confessam que gostariam de produzir versos tão simples e com uma riqueza de imagens poéticas condensadas em tão poucas palavras. Aliás, esta é a lição de arte poética sertaneja que um de nossos maiores poetas populares, o cearense Patativa do Assaré, nos dá em "Cante lá que eu canto cá":

> Pra gente aqui sê poeta
> e fazê rima compreta
> não precisa professô;
> basta vê no mês de maio
> um poema em cada gaio
> e um verso em cada fulô...

– Que bonito! – exclama Vera.

Irene consulta o relógio e se espanta:

– Meu Deus, é hoje que eu viro abóbora! Já passou da meia-noite e meia e a gente aqui...

VERBO, PRA QUE TE QUERO?

– simplificação das conjugações verbais –

Na noite seguinte, depois que todas se instalam, e enquanto Irene consulta suas anotações, Emília toma a palavra e diz:

– Irene, hoje eu prestei bastante atenção no modo de falar da Eulália e percebi que ela não respeita as conjugações verbais.

– Como assim, "não respeita"? – quer saber Sílvia.

– Ela não conjuga os verbos como a gente – explica Emília.– Ela diz, por exemplo, "eles gosta", "nós gosta", "vocês gosta" e assim em diante...

– É verdade, tia – confirma Vera. – Aliás, eu ia mesmo comentar que isso também aparece na letra da música que a gente viu ontem. A Nara canta "as onda se *espaia*", "as garça *dá* meia volta, *brinca* na bera da praia", "os oio se *enche* d'água"...

Irene termina de organizar seus papéis, separa algumas folhas, guarda o resto na sua pasta de cartolina e só então fala:

– Muito bem, meninas, parece que estou conseguindo fazer vocês prestarem mais atenção na língua nossa de todo dia, despertando em vocês um espírito de pesquisadoras... Parece até que adivinharam, porque este é justamente o tema da nossa conversa de hoje: a simplificação das conjugações verbais.

Vera e Emília sorriem, satisfeitas com o elogio.

– A Vera até foi mais esperta do que eu – reconhece Irene –, porque eu nem tinha pensado em usar o "Cuitelinho" para explicar esse fenômeno. E no entanto essa canção serve direitinho de exemplo.

– Parabéns, sabichona! – cumprimenta Emília, piscando um olho na direção de Vera.

– Muito obrigada, é a herança genética – diz Vera, sorrindo na direção da tia.

– Os pesquisadores que estudam os falares regionais e não padrão têm verificado que de Norte a Sul do Brasil existe uma tendência generalizada a reduzir as seis formas do verbo conjugado a apenas duas. Vamos comparar mais uma vez o português-padrão e o português não padrão. Lá vou eu de novo com os meus quadros...

Irene distribui as folhas de papel. As jovens examinam o quadro:

Quadro 5

Conjugação do verbo AMAR no presente do indicativo

PORTUGUÊS PADRÃO	PORTUGUÊS NÃO PADRÃO
eu AMO	eu AMO
tu AMAS	tu/você AMA
ele/ela AMA	ele AMA
nós AMAMOS	nós/a gente AMA
vós AMAIS	vocês AMA
elesAMAM	eles AMA

De novo o enxugamento

– O PNP, como vimos ontem, é uma língua "enxuta", que evita as redundâncias, o excesso de marcas para indicar um único fenômeno. Assim como no caso dos plurais, onde a marca de plural fica limitada somente ao artigo ou à primeira palavra, como em *os menino bonito*, no caso dos verbos, ao que parece, basta a presença do pronome-sujeito para indicar a pessoa verbal.

– Pronome-sujeito é *eu*, *tu*, *ele*, *nós* etc.? – certifica-se Sílvia.

– Isso mesmo – confirma Irene. – Se a pessoa já está indicada, a forma do verbo não precisa variar tanto para que o ouvinte compreenda de quem se está falando e qual é o tempo verbal em questão.

– É verdade, tia – comenta Vera. – Eu acho que ninguém vai confundir, por exemplo, *tu/ele/nós ama* com *tu/ele/nós amou*.

– É o que prova a funcionalidade do PNP – diz Irene. – A mesma regra de eliminação de concordâncias redundantes que vimos no caso dos plurais vale também aqui.

Eu & o outro

– Mas eu ainda tenho uma dúvida – anuncia Emília. – Se estamos aqui diante de mais um caso de eliminação de redundâncias, por que então existe uma forma para *eu* e uma forma para as outras pessoas todas? Por que o verbo para *eu* não fica igual ao das outras?

– Excelente observação, Emília – cumprimenta Irene. – Quem pode responder melhor à sua pergunta eu acho que é a Sílvia.

Sílvia põe a mão no peito, surpresa:

– Eu? Por quê?

– Porque, neste caso, o que existe talvez seja um motivo de natureza *psicológica*. Aliás, você já tinha falado disso no nosso primeiro bate-papo, quando disse que a questão do *outro*, do *diferente* parece ser o grande problema do ser humano.

– É verdade – lembra-se Sílvia. – Puxa, que interessante! Você está querendo dizer que, no caso dos verbos simplificados, estas duas formas que diferenciam a primeira pessoa das outras poderiam refletir a necessidade que todo ser humano tem de distinguir o *eu*, o indivíduo, do *não eu*, do coletivo?

– Parece que é isso mesmo o que acontece – responde Irene. – Parece haver, no nosso inconsciente, o desejo de deixar bem claro o limite que separa o que diz respeito *a mim* e o que diz respeito *ao resto da humanidade...*

– Essa sua hipótese me parece muito boa, Irene – diz Emília.

– Agradeço o elogio, mas não é minha – esclarece Irene. – Alguns estudiosos têm verificado esta mesma tendência em outras línguas, línguas bem diferentes do português. O inglês não padrão falado pelos negros norte-americanos, o chamado *Black English*, por exemplo, apresenta essa característica. O finlandês moderno também. E o mesmo acontece no africâner, que é uma das línguas oficiais da África do Sul, derivada do holandês.

– Preciso tomar nota disso para discutir com os meus professores lá na faculdade – diz Sílvia.

– É um ótimo tema para investigação – confirma Irene. – É um ponto que exigiria maior aprofundamento no estudo das relações entre linguística e psicologia, linguística e psicanálise. De que modo a língua que se fala reflete ou esconde a *"língua que não se fala"*, isto é, as estruturas do nosso inconsciente?

O clássico e o coloquial

Irene vai até a lousa e começa a escrever alguma coisa. Enquanto escreve, vai falando:

– Na verdade, a redução de seis formas verbais do PP para duas no PNP só nos surpreende porque estamos acostumadas demais (eu diria até "viciadas") com o esquema tradicional de conjugação do português-padrão, que é um retrato fiel do quadro de conjugação latina. Muito orgulhosos de falarem uma língua, o português, que tem antepassado tão ilustre, o latim, os gramáticos não abrem mão desse quadro, tentando provar com isso o quanto a nossa língua ainda conserva sua herança latina. Vejam só...

E Irene aponta para o que acaba de escrever:

Quadro 6

Verbos AMARE e AMAR no presente do indicativo

LATIM CLÁSSICO	PORTUGUÊS PADRÃO CLÁSSICO
AMO	AMO
AMAS	AMAS
AMAT	AMA
AMAMUS	AMAMOS
AMATIS	AMAIS
AMANT	AMAM

– O português é mesmo muito parecido com o latim! – exclama Emília.

– Mas *qual* português? – pergunta Irene. – Este quadro é mesmo muito bonito, mas não corresponde totalmente à realidade da língua portuguesa falada no Brasil. O quadro com seis formas diferentes, uma para cada pessoa, corresponde, quando muito, ao português-padrão clássico, literário, *escrito*. Digo "quando muito" porque nem mesmo nessa variedade escrita esse quadro está totalmente refletido. Basta ler os bons jornais, as revistas e a literatura contemporânea para se dar conta disso.

– Mas como é então a conjugação nossa de cada dia? – pergunta Emília.

– Se você prestar alguma atenção nas formas verbais utilizadas diariamente, por pessoas que usam o português-padrão, mas na sua variedade falada, *coloquial*, vai ver que nós também simplificamos bastante o nosso quadro de conjugação verbal. Veja só...

Irene volta à lousa e escreve:

Quadro 7

PORTUGUÊS PADRÃO LITERÁRIO	PORTUGUÊS PADRÃO COLOQUIAL
eu AMO	eu AMO
tu AMAS	você AMA
ele AMA	ele AMA
nós AMAMOS	a gente AMA
vós AMAIS	vocês AMAM
eles AMAM	eles AMAM

– Como é fácil verificar – retoma ela –, as seis formas do PP literário foram reduzidas a três, exatamente a metade, no PP coloquial. O português não padrão, ao simplificar de seis para duas formas, só levou um pouco mais adiante o mesmo processo de "enxugamento da máquina" que a gente observa também no PP.

Passado, presente ou futuro?

Vera examina mais uma vez o quadro das conjugações, dessa vez com ar pensativo. Volta-se para Irene e diz:

– Tia, passou uma ideia pela minha cabeça e eu queria que você me dissesse se ela tem fundamento ou se estou apenas delirando.

– Diga lá, Verinha.

– Esse quadro de conjugação do português padrão clássico é o que a gente aprende e ensina na escola...

– Isso mesmo. O que tem ele? – pergunta Irene, interessada.

– Eu estava pensando uma coisa...

– Vai, mulher, desembucha logo – impacienta-se Emília.

– Que coisa? – pergunta Sílvia.

– É essa história de fazer os alunos decorarem as formas conjugadas de *tu* e *vós* – responde Vera. – Ninguém mais usa essas formas. Quando é que a gente ouve alguém falando *"vós vos divertistes muito"*?

– Mais uma vez sua intuição está correta, Verinha – diz Irene. – Esse quadro de conjugação que as gramáticas tradicionais apresentam tem realmente alguns problemas para o ensino, justamente por estar muito distante da língua viva dos falantes do português brasileiro. O pronome *tu*, por exemplo, no Brasil, é usado em algumas regiões específicas, e raramente a forma verbal que o acompanha corresponde à das gramáticas e livros didáticos. O pronome *vós*, então, como você bem notou, é um verdadeiro dinossauro linguístico: está extinto na fala dos brasileiros há muito tempo...

– E mesmo assim a gente tem que empurrar essas coisas pela goela abaixo dos alunos – queixa-se Emília. – Eu mesma me confundo toda com essa quantidade de s que aparece nos verbos de *tu* e de *vós*... Se vós supusésseis a dificuldade que tenho...

Vera, Sílvia e Irene sorriem.

– Eu acho importante que a gente apresente essas formas verbais aos alunos – diz Irene em seguida –, para que eles as reconheçam quando tiverem de ler um texto clássico, por exemplo. Mas querer que eles decorem tudo para fazer prova e ainda tirar ponto por não terem acertado, considero um verdadeiro crime contra os direitos humanos do educando!

As jovens riem do tom exaltado de Irene.

– Apoiado, Irene! – aplaude Emília. – E não se esqueça que é também um crime contra os direitos humanos dos professores!

– Claro que é – confirma Irene. – E não é só esse o problema. Além de cobrarmos o que não é necessário, deixamos de apresentar fenômenos muito mais interessantes e vivos.

– Por exemplo? – interessa-se Vera.

– Por que as gramáticas e os livros insistem em dizer que *você* é um "pronome de tratamento" de "terceira pessoa"? – questiona a professora. – Não está óbvio, claro, límpido e evidente que *você* é um *pronome sujeito do caso reto* usado para designar a *segunda pessoa* do discurso, aquela com quem *eu* estou falando, a quem estou me dirigindo?

– É mesmo – diz Emília.

– Aliás, a classe de palavras que recebe o nome de *verbos* merece um amplo estudo da parte dos linguistas, dos gramáticas e dos autores de livros didáticos. As definições tradicionais dadas aos tempos verbais, por exemplo, estão pedindo uma revisão urgente, porque elas mostram falhas bem visíveis quando comparadas com a realidade da língua falada. Vejam só:

- Se *eu passo* é "presente", como explicar seu uso na frase: "*Depois de amanhã* eu passo *na sua casa*", que tem uma mensagem definitivamente voltada para o *futuro*?

- Se *andará* é "futuro", como explicar seu uso em: "*Onde* andará *agora aquele nosso amigo?*" – que comporta uma *dúvida relativa ao presente,* indicada inclusive pela presença do advérbio *agora*?

- Se *podia* é "imperfeito", ou seja, "ação incompleta ou continuada no passado", como explicar seu uso em: "*Você bem que* podia *passar lá em casa amanhã*" – que indica uma *possibilidade de ação no futuro?*

– Deus do céu, que rolo! – exclama Emília.

– Além disso – prossegue Irene –, somos obrigados a estudar e a saber conjugar de cor tempos verbais que muito raramente são empregados na língua diária. Por outro lado, há tempos verbais que simplesmente nunca são mostrados nas gramáticas e nos livros didáticos, como se não existissem, e que a gente emprega o tempo todo.

– Manda ver – pede Emília.

– Veja o caso do futuro – diz Irene. – Quem de nós diz: "*Amanhã* sairei *com você*"? A forma muito mais frequente é, de longe: "*Amanhã* vou sair *com você*".

– É verdade – confirma Vera.

– O mesmo acontece com o chamado pretérito mais-que-perfeito. Vocês já se lembram de terem dito alguma vez na vida: "*Quando você telefonou, eu já* saíra"?

– Claro que não – responde Sílvia. – Eu digo: "*Quando você telefonou, eu já* tinha saído".

– Pois então – diz Irene –, neste caso há uma diferença entre o uso da língua *escrita*, que usa a forma simples, e o uso da língua *falada*, que usa a forma composta, mas essa distinção nunca é apresentada nestes termos pelo ensino tradicional.

Quem não sabe português?

– O caso dos verbos – continua a professora –, é só um alerta para que façamos uma boa revisão das nossas formas tradicionais de ensinar a língua portuguesa. Na nossa prática de ensino, muitas vezes insistimos em fatos que não correspondem à realidade da língua viva e simplesmente deixamos de lado outros aspectos muito mais interessantes, dinâmicos, e que dizem respeito a fenômenos muito mais próximos de nós e de nossos alunos. Pensem nisso, por exemplo, quando tiverem de ensinar *sinônimos, coletivos, análise sintática* e outras coisas...

– Análise sintática? Jesus me poupe! – exclama Emília. – Não conheço nada mais aterrador do que isso!

– Não é mesmo? – diz Irene. – Será que a análise sintática, tal como vem sendo ensinada, nos ajuda a fazer um uso melhor da língua? A realidade mostra que não. Será que é mesmo tão necessário saber que o coletivo de *camelo* é *cáfila*? Quando alguma de nós precisou usar esse conhecimento na prática? E os tais *sinônimos*, será que existem mesmo?

Irene faz uma breve pausa. As três jovens estão sérias, ouvindo-a em silêncio.

– Nós temos o hábito de "ensinar a gramática" como se ela fosse uma coisa complicada, misteriosa, cabalística, acessível somente a uns poucos "iluminados", os grandes escritores clássicos – retoma Irene. – Tudo o que conseguimos é criar nos alunos uma enorme antipatia por estes grandes artistas do idioma, o que é uma pena.

– Uma pena mesmo – repete Vera.

– Eu mesma só consegui aprender a gostar do Machado de Assis há pouco tempo – confessa Emília. – Na escola, detestava ele de todo o coração, porque os professores usavam textos dele nos malditos exercícios de análise sintática.

– É preciso mudar isso – diz Irene. – É muito triste ouvir tanta gente inteligente dizer: "Eu não sei português". Se não soubesse, não teria produzido essa simples frase. O que as pessoas não sabem é a língua fossilizada, enrijecida, ossificada, congelada, insípida que a nossa tradição escolar tem tentado "ensinar".

– Parece que nós, professores, temos um prazer meio sádico de só querer ensinar as irregularidades, as exceções, os aspectos esquisitos da língua – comenta Vera.

– Acho que temos certa obsessão em tornar as coisas mais difíceis – acrescenta Sílvia –, talvez numa tentativa autoritária de mostrar a nossa superioridade, de manter a distância que existe entre *eu*, "o professor que sei tudo", e o *outro*, "o aluno que não sabe nada".

– Mas não é assim que conseguiremos despertar nas pessoas o amor pelo verdadeiro português-padrão que falamos e escrevemos.

– Quer dizer então – é a vez de Emília – que além de precisarmos modificar nossa maneira de encarar o português não padrão, libertando-nos de todos os preconceitos que atrapalham a nossa visão dos fenômenos da língua, também precisamos transformar nossa maneira de trabalhar com a própria norma-padrão?

– Exatamente – confirma Irene. – Vamos pensar naquela diferença entre *ensinar* e *educar*, que vimos ontem, e tentar descobrir novas trilhas para a nossa prática pedagógica.

Emília levanta-se e aplaude.

– Ai, Emília, como você é palhaça! – diz Sílvia entre risos.

– Graças a Deus! – diz Emília. – O que faz a vida valer a pena é o nosso bom humor!

– Concordo, endosso, corroboro, apoio e assino embaixo! – diz Irene.

Neste momento, Eulália aparece à entrada da "escolinha" e anuncia:

– Pão de queijo saidinho do forno!

E atendendo àquele chamado irresistível, vão todas para a cozinha.

E AGORA, COM VOCÊS, A ASSIMILAÇÃO!

– transformação de -ND- em -N- e de -MB- em -M- –

No dia seguinte, um domingo, enquanto todas ajudam a arrumar a cozinha depois do café da manhã, Eulália diz a Irene que vai à casa do filho Ângelo:

– Prometi almoçar com as crianças hoje – diz ela, avó sorridente.

– Almoçar com as crianças ou fazer o almoço para elas? – pergunta Irene, piscando um olho para Vera.

Eulália só faz aumentar o sorriso que já trazia aceso no rosto. Nem se dá ao trabalho de responder, pois a resposta é mais que evidente.

– Quando a gente terminar aqui, eu levo você de carro – oferece Irene.

– Precisa disso não, Irene – reage Eulália. – Eu vou de a pé mesmo, é uma caminhada gostosa. E você não vai largar a Verinha mais as menina aqui sozinha, vai?

– Claro que não – responde Irene –, a minha ideia era justamente levar todo mundo comigo para dar um passeio pela cidade. A gente deixa o carro lá no centro e sai andando.

Vera, Emília e Sílvia aprovam a ideia. Em pouco tempo já estão todas prontas e entram no carro de Irene, que sai dirigindo.

A casa de Irene e Eulália é na verdade uma chácara ligeiramente afastada da cidade. Mas com poucos minutos de carro, chega-se ao centro. No trajeto, avista-se a Pedra Grande, ponto mais alto da região serrana de Atibaia.

– Essa Pedra Grande é mesmo linda de morrer – comenta Emília.

– É a paixão da minha vida – diz Irene. – Desde o primeiro dia em que descobri essa maravilha não consegui sossegar enquanto não me mudei para cá. Todo verão eu caminho até lá em cima. É uma escalada e tanto, mas vale a pena. A vista que a gente tem da região é simplesmente deslumbrante.

– Só falta você dizer que também pula de asa delta! – graceja Sílvia, que sabe que a Pedra Grande, com seu topo amplo e largo de rocha nua e lisa, é uma plataforma de salto apreciada pelos praticantes do voo livre.

– Bem que ela já pensou nisso, viu? – diz Eulália. – Você já sabe que a Irene tem um parafuso de menos na cachola...

– Pensei mesmo – confirma Irene, rindo. – Já vi um mundo de gente saltando lá de cima! Morro de inveja, mas sei que, na hora H, a coragem vai pular antes de mim e me deixar na mão.

Todas as passageiras sorriem.

– Por que não vamos até lá hoje? – sugere Emília.

– Só se você estiver disposta a virar picolé! – responde Vera. – Nesta época do ano, em pleno inverno, a temperatura lá em cima pode ficar abaixo de zero.

– Pensando bem, vamos deixar para outro dia – torna a falar Emília, em tom fingidamente despreocupado.

Nessa conversa, chegam à casa de Ângelo. Todas descem para ver os netos de Eulália – Rosa e Gabriel –, e as amigas de Vera aproveitam para conhecer Antônia, mulher de Ângelo, que é enfermeira.

Quando entram de novo no carro, Sílvia propõe:

– Irene, vamos parar na beira daquele lago que a gente vê do jardim da casa do Ângelo?

– O Lago do Major? – pergunta Vera.

– Esse mesmo – confirma Irene. – Vamos sim, é uma ótima ideia. É sempre uma delícia passear perto da água.

Partem. Irene estaciona o carro junto do amplo calçadão que circunda todo o lago. Todas descem e põem-se a caminhar.

– Gente, que coisa boa que deve ser morar num lugar desse! – exclama Sílvia, contente por estar ali.

– Concordo – diz Emília. – Uns dez dias por ano, né? É o máximo que consigo passar longe de São Paulo... Depois disso, passo a estranhar o clima, sinto saudade do barulho do trânsito, e o ar puro começa a fazer mal para minha pele...

Gargalhada geral.

– A Emília existe mesmo ou estou sonhando? – pergunta Irene, puxando a jovem para junto de si e abraçando-a com força.

– Existe, sim! – responde Vera. – É assim o tempo todo: impertinente, irreverente, inconveniente...

– Mas também inteligente... – completa Emília, aproveitando a rima.

– É o mal do nome – explica Sílvia. – A mãe dela leu Monteiro Lobato mais do que devia ...

– Eu nunca gostei muito de me chamar Emília... Mas me consolo porque minha mãe desistiu do primeiro nome que pensou em me dar, também por causa do Lobato...

– Que nome? – interessa-se Irene.

– Benta? – arrisca Vera.

– Tia Nastácia? – zomba Sílvia.

– Pior – responde Emília sem se dar por achada. – Narizinho!

Irene ri tanto que para de caminhar e senta-se num banco. Depois, contendo-se, diz:

– Pelo menos a Emília tinha um título de nobreza. Quem se lembra?

Sílvia e Vera ficam pensativas. Emília senta-se ao lado de Irene e murmura no ouvido dela:

– Você me paga!

Irene finge que não escuta e diz:

– Gente, que memória curta! Vocês não se lembram que a Emília é a Marquesa de Rabicó?

Vera explode em risos. Sílvia também ri e diz:

– É mesmo! Ela se casou com o Marquês de Rabicó, um porco! E todas voltam a rir gostosamente, com exceção de Emília que cruza os braços e finge zangar-se. Irene abraça Emília de novo e diz:

– Pelo menos a nossa Emília não tem uma "torneirinha de asneiras"...

– Não tem mesmo – diz Vera. – O que ela tem é um chuveiro de asneiras!

Emília mostra a língua para Vera.

– Isso é típico da Emília – diz Sílvia. – Quando eu era criança, cheguei a contar quantas vezes nos livros aparecia a frase: "Emília pôs um palmo de língua para fora"...

– Dá para mudar de assunto, ou vai continuar a malhação do Judas? – pergunta Emília. – Eu queria conversar umas coisas com a Irene, mas até agora não consegui abrir a boca...

– A boca não, só a "torneirinha" – diz Vera sorrindo.

Emília lança um olhar de desdém na direção de Vera, volta-se para Irene e diz:

– Irene, por que é tão comum a gente ouvir as pessoas dizerem *falano, comeno, cantano,* em vez de *falando, comendo, cantando*? Isso é tão comum que nem sei se é coisa só do português não padrão...

– Você está certa – diz Irene. – Essa é uma tendência muito viva na língua portuguesa falada no Brasil. Até mesmo os falantes escolarizados em situação informal e ambiente descontraído, ou numa fala mais acelerada, costumam pronunciar os verbos no gerúndio com a terminação *-no* no lugar da terminação *-ndo*. Às vezes, isso ocorre também com o advérbio *quando*, que é pronunciado *quano*.

– Por que isso acontece, tia? – pergunta Vera, sentando-se na grama em frente ao banco onde estão Irene e Emília.

– A explicação é simples. Os fonemas /n/ e /d/ pertencem a uma família de consoantes que são chamadas *dentais*.

– Por que elas têm esse nome? – pergunta Sílvia.

– Porque, para serem produzidas, é preciso que a ponta da língua (chamada *ápice*) ou a porção dianteira da língua (chamada *pré-dorso*) entre em contato com os alvéolos dos dentes incisivos superiores.

– Cruzes, quanto palavrão! – exclama Emília. – E você diz que a explicação é simples.

– É mais fácil perceber isso na prática – diz Irene. – Experimente pronunciar com cuidado as palavras *nenê* e *dado*.

Emília e suas duas colegas aceitam a sugestão.

– Perceberam como a língua tocou levemente a parte do céu da boca onde se encaixam os dentes de cima? – pergunta Irene. – Por isso é que essas consoantes, e algumas outras, são chamadas dentais.

– Muito bem – diz Emília –, o N e o D são dentais. E daí?

– Daí que, por serem produzidas na mesma *zona de articulação*, ou seja, no mesmo lugar dentro da boca, essas consoantes vão sofrer o ataque de uma força muito viva na língua: a *assimilação*.

– Assimilação? – pergunta Vera.

– Assimilação – repete Irene. – A assimilação, como o nome diz, é a força que tenta fazer com que dois sons diferentes, mas com algum parentesco, se tornem iguais, semelhantes. Às vezes ela consegue fazer isso. Outras vezes, só consegue pela metade.

– Como foi que ela atacou nesse caso que a Emília citou? – pergunta Vera.

– No caso de *falando* que se torna *falano*, o que ocorreu foi uma assimilação do D pelo N. Primeiro, *falando* passou a *falanno*, com um N duplo. Logo depois, esse n duplo se simplificou. Vitória da assimilação!

– Isso só acontece no português do Brasil? – pergunta Sílvia.

– Essa assimilação *-nd-* > *-nn-* > *-n-* não é exclusividade nossa, não – responde Irene. – Temos informações de que ela também é presente numa região de Portugal chamada Beira Alta e que pode ser encontrada em textos escritos no século XVI. Além disso, ela também agiu em outras línguas da família. Por exemplo, em alguns dos chamados dialetos italianos, e também no catalão, língua falada na região sudeste da Espanha chamada Catalunha, onde fica a cidade de Barcelona. Em catalão o latim *mandare* (que deu o nosso *mandar*) se transformou em *manar*.

Sílvia consulta o relógio.

– O tempo voou, gente! Já passa do meio-dia...

– Vamos almoçar? – propõe Irene. – A gente podia comer fora de casa hoje, para variar um pouco.

– Ótima ideia – aprova Emília.

Enquanto caminham de volta ao carro, Vera pergunta:

– Tia, você vai falar mais sobre a assimilação nas nossas aulas?

– Vou sim.

– Existe algum outro exemplo desse tipo de assimilação? – quer saber Sílvia.

– Existe – responde Irene. – É um tipo mais raro. É o caso de *também*, que é pronunciado *tamém*, e de *um bocado*, que é pronunciado *um mucado*.

– A explicação é a mesma? – pergunta Vera.

– É, só que as consoantes aqui são de outra família – explica Irene. – O M e o B são chamados *bilabiais*, porque para pronunciá-los nós precisamos movimentar os dois lábios.

Emília repete *memê* e *bebê* algumas vezes e verifica o movimento dos lábios.

– De novo entra em campo a assimilação, aproveitando que as

duas consoantes têm a mesma zona de articulação. Daí resulta a passagem de *-mb-* para *-mm-* e depois para *-m-* simples – conclui Irene, pegando no bolso do vestido as chaves do carro.

– E, como sempre, a senhora vai dizer que isso acontece em outras línguas – ironiza Emília.

– E vou mesmo – diz Irene, abrindo a porta do carro. – A assimilação *-mb-* > *-mm-* > *-m-* aconteceu também em espanhol. Nessa língua, por exemplo, o latim *lumbu* (que deu o nosso *lombo*) resultou em *lomo*, e o verbo *lambere* (que deu o nosso lamber) resultou em *lamer*.

Entram todas no carro. Irene bate a porta, introduz a chave na ignição e antes de dar a partida conclui:

– Cabe dizer que a assimilação foi uma força muito ativa na história da formação da língua portuguesa tal como a conhecemos, e que ela continua em plena atividade nos dias de hoje, produzindo lenta mas ininterruptamente a língua portuguesa dos próximos séculos.

SODADE, MEU BEM, SODADE

– redução do ditongo OU em O –

A língua voa, a mão se arrasta

Vão almoçar num pequeno restaurante de comida italiana, não muito longe do Lago do Major. Nenhuma delas resiste à tentação das massas com muito molho vermelho acompanhadas de um simpático vinho tinto.

– Adeus, regime! – suspira Vera enquanto o garçom recolhe os pratos e as bandejas devidamente esvaziados.

– Eu dei férias ao meu – diz Emília, tomando o último gole de vinho de sua taça. – Afinal, estamos no inverno, e o frio dá mais fome...

– Obrigada pela tentativa de consolo – agradece Vera –, mas isso não vai aliviar meu complexo de culpa por ter comido demais...

– Bobagem, menina – protesta Irene. – Relaxe, termine seu vinho e vamos pedir uma boa sobremesa...

Os olhos de Vera brilham:

– Sobremesa?

Sílvia sorri:

– Gente, nunca vi um complexo de culpa desaparecer tão depressa...

– Eles têm aqui uns doces típicos italianos de deixar a gente tonta – comenta Irene.

Fazem seu pedido, e quando os doces são postos sobre a mesa cada uma deixa escapar uma exclamação de felicidade. Emília chega a bater palminhas.

– Puxa, tia, você devia ter me falado antes desses doces – queixa-se Vera, dando a primeira mordida no seu. – Assim, eu tinha comido menos no almoço e deixado mais espaço para eles.

Enquanto come, Emília vai examinando a decoração do restaurante. Como toda cantina italiana digna do nome, essa também tem as paredes transformadas num verdadeiro museu de imagens, emblemas, símbolos, retratos que evocam as origens familiares do proprietário: cartazes com grandes fotografias de cidades históricas, bandeiras de times de futebol da Itália, retratos de italianos famosos, mapas coloridos da Itália, imagens religiosas etc. No meio dessa mixórdia, Emília vê uma estampa desenhada à moda antiga, com figuras que ela não consegue identificar, e na parte de cima, em grandes letras verdes, uma frase, que ela vai balbuciando em voz alta:

– *Verba... volant... scripta ma... manent...*

– *Verba volant, scripta manent* – repete Irene sem desviar o olhar de sua bomba de chocolate. – É um velho ditado latino, você conhece?

– Não – responde Emília –, o que significa?

– "As palavras voam, os escritos permanecem" – responde Irene. – Eu não gosto muito desse ditado, não.

– Por que não, tia?

– Porque ele às vezes é usado por gente que está querendo esconder uma verdade que desagrada um pouco aos conservadores: a língua falada, a língua que sai pela boca, é muito mais rápida, ágil e esperta do que a língua escrita, a língua que sai pela mão. Por isso eu até criei o meu próprio ditado: "A língua voa, a mão se arrasta".

– Como assim, Irene? – pergunta Sílvia.

– Basta fazer um teste bem simples – responde Irene. – Marque no relógio o tempo que você gasta para *dizer* alguma coisa, qualquer coisa: uma palavra, uma frase, várias frases, uma poesia que você tem decorada... Depois, compare esse tempo com o que você gasta para *escrever* essa mesma coisa: à mão, à máquina, no computador, tanto faz... Por mais rápida que seja a sua mão, ela nunca poderá atingir a velocidade da língua, não é?

– Como você disse: "a língua voa, a mão se arrasta" – diz Emília.

– Pois este fato simples, e aparentemente tão bobo, tem sérias consequências, sabia? – retoma Irene, que já terminou de comer seu doce e agora toma um copo de água.

– Que consequências? – interessa-se Vera.

– A mais séria está na escola, no tipo de língua que a gente aprende (e ensina) na escola. Enquanto a língua falada, viva e elétrica, está se mexendo, se transformando, a língua escrita ainda está tentando se acostumar com as mudanças que aconteceram há muito tempo.

– Parece a história da lebre e da tartaruga – sugere Emília.

– Parece – confirma Irene –, só que neste caso, como se trata de uma história real e não de uma fábula, a lebre está sempre quilômetros à frente da tartaruga. E como a tartaruga-língua escrita se sente muitíssimo mal com esse atraso, ela conseguiu achar quem defendesse os seus direitos: os gramáticos e os autores de livros didáticos. Eles compraram a causa da língua escrita e tentam nos mostrar em seus livros que ela é a "pura", a "bela", a "certa", a "boa", enquanto a língua oral... eles nem mesmo falam dela ou, quando falam, é para acusá-la de "vícios" e "deturpações".

– E como se saíram os advogados da tartaruga? – pergunta Emília.

– Muito bem. Tanto fizeram que tudo aquilo que foge aos padrões e às normas da língua escrita é considerado "errado". Por isso alguns fenômenos que ocorrem na língua falada são duramente combatidos e atacados, como se fossem verdadeiros crimes contra o "bom português".

– Por exemplo? – pede Sílvia.

O ditongo que já era

– Os livros didáticos e as gramáticas insistem em dizer, até hoje, que nas palavras *pouco*, *roupa*, *louro* existem "ditongos", isto é, um "encontro vocálico" em que as duas vogais são pronunciadas. Mas isso não acontece mais no português do Brasil, nem no de Portugal. Há muito tempo que o que se escreve ou é pronunciado o. Isso está documentado em pesquisas, em gravações da língua falada, e basta você ligar o rádio ou a televisão para ouvir *poco*, *ropa*, *loro*... Este é um fenômeno que ocorre tanto no português-padrão do Brasil quanto no não padrão.

– Mas a gente tem que escrever ou de todo jeito – lembra Vera.

– E por causa disso os advogados da língua escrita querem por que querem que a gente pronuncie os tais "ditongos". Para eles, "vale o escrito". Só que a história da língua, mais uma vez, mostra que eles estão enganados.

– E como é a história? – pergunta Sílvia.

– O que a escrita ainda registra como ou é o resultado de uma transformação histórica que aconteceu enquanto a língua portuguesa se formava – começa a explicar Irene. – As palavras que, em sua origem, tinham um ditongo AU (este sim, bem pronunciado) lentamente começaram a ser pronunciadas com um OU no lugar do AU. O que era *paucu-* e *lauru-* em latim estava se transformando em *pouco* e *louro* em português, o mesmo acontecendo com o germânico *raupa*, de onde vem o nosso *roupa*.

– E por que essa transformação aconteceu? – quer saber Vera.

– Por causa de nossa amiga *assimilação* – responde Irene –, lembram-se dela?

– Claro, acabamos de ser apresentadas – responde Emília.

– Pois então, como o A é muito aberto e o U, muito fechado, existe uma tendência da língua a tornar as duas vogais semelhantes, daí o nome *assimilação*.

Enquanto fala, Irene pega uma caneta na bolsa e põe-se a rabiscar alguma coisa num guardanapo de papel.

– Vejam aqui uma coisa – diz ela, mostrando o desenho. – As vogais, dentro da nossa boca, são produzidas mais ou menos como eu tentei mostrar neste desenho:

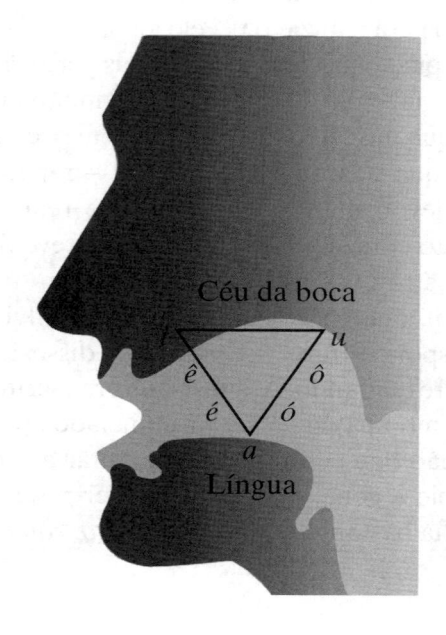

– O que é esse triângulo? – pergunta Sílvia.

– Esse triângulo mostra os pontos em que cada vogal é produzida dentro da nossa boca – explica Vera.

– Isso mesmo – confirma Irene. – O A, na parte mais baixa, é a vogal mais aberta. O U e o I, lá no alto, são as mais fechadas. Repare como a boca se fecha bem quando você pronuncia U e I.

Emília e Sílvia fazem o teste e pronunciam várias vezes as vogais U e I.

– A gente pode observar também – prossegue Irene – que as vogais mais próximas do A são mais abertas que as produzidas perto do U e do I, criando a riqueza de sons vocálicos da língua portuguesa.

– Esse esquema de vogais vale para todas as línguas? – pergunta Sílvia.

– Não – responde Irene –, este quadro representa apenas as vogais tônicas do português do Brasil. Quando se trata das vogais átonas, por exemplo, ele não vale nem para o português de Portugal, que tem mais vogais que o do Brasil.

– E como é que a assimilação atacou as vogais? – quer saber Emília.

– Como você pode notar, para pronunciar o ditongo AU, a boca tem que fazer um movimento grande, abrindo-se toda para produzir o A e fechando-se toda para realizar o U. Pelo fenômeno da assimilação, o U fechado tentou "puxar" o A aberto para mais perto de si. E conseguiu trazer o A até o ô, no meio do caminho, mas muito mais perto do U.

– Foi assim que nasceu o ditongo OU? – arrisca Emília.

– Foi assim que nasceu o ditongo OU – repete Irene. – Essa transformação levou muito tempo para se realizar e quando o português escrito começou a ganhar forma, teve de reconhecer o fenômeno e registrou OU, isso há muito séculos.

– Só que a coisa não parou aí, não é? – diz Sílvia.

– Exato – responde Irene. – Como eu já disse, a língua falada é viva e está sempre mudando. Assim, o que era escrito e pronunciado OU em pouco tempo passou a ser pronunciado apenas ô. Só que a língua escrita não deu conta de acompanhar a rapidez da língua falada, e até hoje a gente tem que escrever *pouco*, *louro*, *roupa*, embora já fale há bastante tempo *poco*, *loro*, *ropa*.

Quem fez papel de bobo?

– Como o PNP é uma língua que está muitíssimo mais ligada à oralidade (à forma falada) do que à ortografia (à forma escrita) – continua Irene –, a regra histórica de redução do ditongo AU em o não deixou de ser respeitada. É por isso que certas palavras do PP que se escrevem com AU são pronunciadas com um o em PNP. Um dos exemplos mais conhecidos é o da linda palavra SAUDADE, que em muitas regiões do Brasil é pronunciada *sodade*. Posso até citar a lindíssima canção "Sodade, meu bem, sodade", do compositor Zé do Norte, que faz parte da trilha sonora do filme "O Cangaceiro", dirigido por Lima Barreto em 1952.

Emília fica pensativa por alguns instantes. Depois diz:

– Quero contar uma coisa para vocês.

As outras se interessam, e ela prossegue:

– Antes de terminar a Escola Normal, eu trabalhava numa livraria. Um dia, um senhor entrou na loja, se dirigiu a mim no balcão e perguntou: "Aqui tem *orelhão*?" Eu respondi: "Não, mas logo ali na esquina tem". Pensava que ele queria telefonar. O freguês olhou para mim, sorrindo, e explicou: "Não. Não é *oreião*. É o *Orelhão*, aquele dicionário grande". Só então eu entendi que ele queria comprar um "Aurelião", quer dizer, o dicionário do Aurélio Buarque de Hollanda Ferreira em formato grande...

Vera e Sílvia sorriem, achando graça da história. Irene permanece séria.

– Na época eu também achei muito engraçado – retoma Emília –, e tive pena do "pobre homem" que não sabia "falar direito". E fiquei contando essa história como uma "piada", em que o meu freguês fazia o papel do bobo. Mas hoje, Irene, depois desses poucos dias com você, já consigo ver a cena com os papéis trocados, e tenho consciência de que, naquele episódio, a "burra" fui eu, que não sabia que estava dialogando com uma pessoa que usava uma variedade de português diferente da minha.

– Ele, sim, sabia da diferença – intervém Irene –, tanto que sorriu e tratou logo de ajudar você a compreender o que ele desejava.

– Foi mesmo – confirma Emília.

– Vocês nunca se viram numa situação parecida ao falarem com um estrangeiro? – pergunta Irene.

Sílvia e Vera balançam a cabeça, afirmativamente.

No meio do caminho tinha o português

Terminada a sobremesa, todas degustam um café fumegante. Entre um gole e outro, Vera pergunta:

– Essa diferença entre a língua escrita e a língua falada existe também em outras línguas?

– Em "outras" não – responde Irene –, em *todas* as línguas. Não existe nenhum sistema escrito capaz de reproduzir fielmente a riqueza da língua falada. O que acontece é que existem graus de diferença nessa distância entre as duas formas da língua. Comparando o português padrão escrito com outras línguas aparentadas, a gente vê que ele está no meio do caminho que já foi percorrido pelo espanhol. Em espanhol, já se escreve mais parecido com o que se fala: ROPA, LORO, POCO. Já em francês, a distância entre língua falada e língua escrita é muito maior, e o que até hoje se escreve AU é pronunciado o há vários séculos.

Irene rabisca algumas palavras na toalha de papel da mesa do restaurante.

– Vejam: FAUX ("falso") se pronuncia *fô*... CHAUD ("quente") é pronunciado *xô*... Cada língua tem, portanto, duas histórias: uma história da língua falada e uma história da língua escrita. Na primeira as coisas andam muito mais depressa que na segunda.

De novo ela escreve na toalha. É mais um de seus quadros comparativos:

Quadro 8	Francês		Português		Espanhol	
	Antigamente	Hoje	Antigamente	Hoje	Antigamente	Hoje
História da língua falada	autre → ... → otrᵊ		outro → ... → otru		otro → ... → otro	
História da língua escrita	autre → ... → autre		outro → ... → outro		otro → ... → otro	

– Como se pode ver, o grau de conservadorismo da ortografia, da forma escrita oficial, varia muito de língua para língua e depende da ação política dos homens, já que as normas ortográficas são estabelecidas por leis e decretos, podendo permanecer as mesmas durante séculos (como no caso do francês), se ninguém se incomodar em mexer nelas. Já a língua oral é uma "rebelde", vive a escapar das leis e das normas, está sempre a se mexer, e por isso o estado atual de qualquer língua falada é muito diferente do que era há algum tempo e do que será nos próximos séculos.

Para que serve a escrita?

Quando o garçom traz a conta, Irene se encarrega de pagá-la, apesar dos protestos das três jovens, que querem dividir as despesas. Enquanto preenche o cheque, ela diz:

– O importante, meninas, é a gente ter sempre em mente que "nem tudo o que se escreve se pronuncia", assim como "nem tudo o que se pronuncia se escreve". A língua escrita serve como registro permanente... *scripta manent*... é usada para a transmissão do saber e da cultura, e muitas vezes é até interessante que ela permaneça sem muitas mudanças, para que a gente possa ler com facilidade documentos antigos e livros impressos há muito tempo. O que não podemos admitir é que ela seja usada como um "instrumento de tortura" ou uma "prisão" para a língua falada. Nunca é demais lembrar que o homem fala há milhões de anos e que as primeiras formas de escrita datam apenas de 3.500 antes de Cristo.

O garçom recolhe o cheque, despede-se de Irene e de suas convidadas. À saída do restaurante, enquanto se dirigem para o carro, Emília comenta:

– Só uma coisa me aborrece nisso tudo.

– O quê? – pergunta Irene, surpresa.

– Eu não trouxe o meu bloquinho de notas... – queixa-se a jovem. – Se soubesse que esse passeio ia dar em aula...

Irene abraça-a sorrindo e diz:

– Não se preocupe, bobinha, quando o livro estiver pronto, vocês vão ser as primeiras a ganhar um exemplar...

BEIJO RIMA COM DESEJO
– redução do ditongo EI em E –

o dia seguinte, à noite, a "aula" volta para seu lugar de costume, a "escolinha" no fundo da chácara. Irene já distribuiu suas folhas impressas às "alunas", desenhou na lousa o esquema das vogais que havia mostrado a elas no restaurante e agora começa a falar:

– Ontem nós examinamos a história da transformação do ditongo OU em O. Hoje vamos tratar de mais um ditongo que se reduziu, o ditongo EI que passou a E. Aqui também estamos diante de um fenômeno que se verifica tanto no português-padrão quanto no português não padrão. O que cria problemas, mais uma vez, é a diferença entre *língua falada* e *língua escrita*.

– "A língua voa, a mão se arrasta" – diz Emília.

Irene sorri e prossegue:

– Com o ditongo EI ocorreu o mesmo que vimos com o ditongo OU: uma *monotongação*, quer dizer, dois sons que se transformaram num só. Mas existe uma diferença entre os dois casos: o que é escrito OU é pronunciado O em todas as situações e contextos, tanto no PP quanto no PNP. O que se escreve EI, porém, só se transforma em E em algumas situações. Vamos dar uma olhada no primeiro quadro de hoje...

Emília, Sílvia e Vera observam a folha indicada.

Quadro 9

Língua escrita	Língua falada
beiço	beiço
beijo	bêjo
brasileiro	brasilêro
cheiro	chêro
deixa	dêxa
jeito	jeito
leigo	leigo
peito	peito
peixe	pêxe
primeiro	primêro
queijo	quêjo
queixo	quêxo
seiva	seiva

– Olhando para a coluna que transcreve a forma *falada* das palavras, podemos tentar descobrir em que situações o ditongo escrito EI deixa de ser ditongo e se transforma na vogal E, com timbre fechado.

Vera examina com cuidado o papel, depois diz:

– Parece que a monotongação só acontece quando o ditongo EI aparece diante das consoantes J, X e R...

–É mesmo – concorda Sílvia –, em todos os outros casos os dois sons são bem pronunciados.

– Por que isso acontece? – quer saber Emília. – Aposto que é mais uma arte da assimilação!

– Pois sua aposta está correta – diz Irene. – Mas antes de falar de novo dessa nossa amiga, vamos ver o que é exatamente um *ditongo*.

Semivogal: um som no meio do caminho

Irene escreve alguns símbolos na lousa e em seguida volta a falar:

– Todo ditongo é formado de uma *vogal* mais uma *semivogal*. Na língua portuguesa existem duas semivogais: /y/ escrita normalmente I, e /w/, escrita normalmente U – e ela aponta os símbolos que escreveu. – Elas estão presentes, por exemplo, nas palavras PAU e PAI. Às vezes também podem vir escritas E, como em FÊMEA (pronunciado *fêmya*), ou O, como em MÁGOA (pronunciado *mágwa*).

– Por que elas são chamadas *semivogais*? – pergunta Sílvia.

– Porque também são chamadas *semiconsoantes* – responde Irene, piscando um olho maroto para Vera.

– Ótima resposta, muito didática – ironiza Emília.

Irene sorri, volta a escrever na lousa e depois diz:

– As semivogais também recebem o nome de semiconsoantes porque elas são um tipo de som que está no meio (*semi-*) do caminho que leva das vogais até as consoantes. Reparem neste desenho...

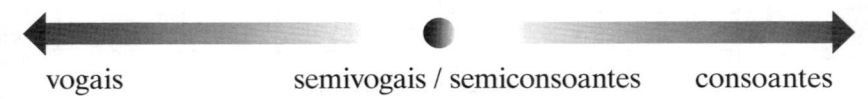

vogais   semivogais / semiconsoantes   consoantes

– Qual é mesmo a diferença entre vogais e consoantes, Verinha? – pergunta Irene.

– A diferença entre vogais e consoantes, se bem me lembro, é que as vogais são produzidas com a passagem livre do ar pela boca, enquanto que nas consoantes o ar encontra algum obstáculo – responde Vera.

– Muito bem – cumprimenta Irene.

– Por isso, as vogais podem ser pronunciadas sozinhas – continua Vera, satisfeita –, ao passo que as consoantes precisam das vogais para ajudá-las. Por isso são chamadas *con-soantes*, porque são pronunciadas *com* a ajuda de outro *som*, os sons vogais.

– Eu não explicaria melhor – diz Irene.

– E onde é que entram as semivogais? – impacienta-se Emília.

– Na produção das semivogais, o ar passa quase totalmente livre, e por isso elas são irmãs quase gêmeas das vogais I e U – responde Irene. – Mas também só podem ser produzidas se estiverem apoiadas em outra vogal, por isso são semiconsoantes...

– Elas têm um espírito assim, meio "mineiro", não é? – sugere Emília. – Não dizem que sim nem que não, muito pelo contrário...

Irene ri da comparação.

– Na história da transformação do latim em português – continua –, aconteceram inúmeros casos em que as semiconsoantes latinas escritas I e U "saíram de cima do muro" e escolheram ficar de uma vez por todas no clube das consoantes. Deem uma olhada no segundo quadro da folha...

As três obedecem e veem:

Quadro 10

LATIM	TRANSFORMOU-SE EM	PORTUGUÊS
aue	>	ave
cuius	>	cujo
Iésus	>	Jesus
iócu	>	jogo
iustu	>	justo
iúuene	>	jovem
uacca	>	vaca
uita	>	vida
uíuere	>	viver
uoluntate	>	vontade

– Foi assim que nasceram os sons consoantes representados hoje pelas letras J e V, sons que não existiam no latim clássico – explica Irene.

– Então não são tão "mineiras" assim... – diz Emília.

A verdade sobre os ditongos

– Eu quis contar toda essa longa história sobre as semivogais (ou semiconsoantes) para esclarecer melhor as coisas que acontecem na nossa língua. Os livros didáticos, tentando simplificar os fatos, dizem que "ditongo é o encontro de duas vogais na mesma sílaba". Ora, na verdade são duas *letras*, isto é, dois *símbolos gráficos* ("desenhos") que são chamados tradicionalmente *vogais*. Mas são dois sons de famílias diferentes: um som vogal mais um som semivogal. Esta diferença entre *fala* e *grafia* é importante porque vai nos mostrar o que acontece na monotongação do ditongo EI diante das consoantes J, X e R.

A semivogal /y/, que escrevemos I no ditongo EI, é um som que pertence a uma família chamada *palatal*. Os sons palatais são produzidos no palato, esta parte de cima da nossa boca que nós chamamos tão poeticamente de *céu da boca*. O palato é dividido em duas partes: o *palato duro,* que é o céu da boca propriamente dito, e o *palato mole,* que é a parte de trás do céu da boca, mais macio e que vai até a *úvula*, que a gente chama familiarmente de "campainha". É no palato duro que são produzidos os sons palatais.

– Palatais – repete Emília, anotando em seu bloquinho.

– As consoantes que representamos com as letras J e X, como em QUEIJO e QUEIXO, também fazem parte da família das palatais. Para produzi-las, uma parte da língua toca levemente o céu da boca.

A assimilação volta a atacar

– Como nós vimos ontem, existe uma força muito ativa na língua que se chama *assimilação*. Quando encontra dois sons que têm alguma "coisa" parecida, semelhante, ela faz de tudo para que eles se juntem, se fundam num só. No caso do nosso ditongo EI, a assimilação "aproveita" o caráter palatal da semivogal I e das consoantes J e X para reuni-las num único som. Assim, o que acontece não é exatamente a redução do ditongo EI em E, mas a redução de -IJ- e -IX- em -J- e -X-.

– É isso também que explica a pronúncia *baxo, caxa, faxa* para o que a gente escreve BAIXO, CAIXA e FAIXA? – pergunta Vera.

– Exatamente – confirma Irene.

– E o que acontece no caso das palavras que têm um R depois do ditongo EI? – quer saber Sílvia.

– Neste caso, a assimilação vai agir sobre o caráter *anterior* da semivogal I e da consoante R. O som da letra R em *caro* não é um som palatal da mesma qualidade do J ou X. Mas ele também é produzido naquela região da boca que é chamada *anterior*, por ficar entre os alvéolos e os dentes, quer dizer, na parte mais avançada do céu da boca. Por terem este ponto de articulação comum é que os sons da semivogal I e da consoante R sofrem os efeitos da *assimilação* e se transformam num só...

Da fala para a escrita

– Parece que esse fenômeno é tão vivo e atuante na língua falada – comenta Vera – que ele tem consequências interessantes na língua escrita. Já vi algumas pessoas bem alfabetizadas hesitarem na hora de escrever CARANGUEJO, BANDEJA, PRAZEROSO, achando que estas formas estão "erradas" e que deveriam ser escritas "carangueijo", "bandeija", "prazeiroso"...

– É verdade – confirma Irene. – No entanto, tem gente esperta que sabe aproveitar os fenômenos da língua. É o caso do Noel Rosa, que escrevia as letras das suas músicas num português padrão caprichadíssimo, e que em 1934, na sua famosa canção "Último desejo", não teve dúvidas em rimar:

> Nunca mais quero seu *beijo*
> mas meu último *desejo*
> você não pode negar.

– Adoro essa música! – suspira Emília.

– Pois essa rima, aparentemente imperfeita do ponto de vista *ortográfico* – enfatiza Irene –, é no entanto totalmente perfeita do ponto de vista *fonético*, isto é, na língua falada.

A mesma conclusão

– Quantos nomes complicados numa aula só, Irene! – queixa-se Emília, consultando seu bloco de notas. – *Vogal, consoante, semivogal, semiconsoante, palatal, anterior, alvéolo, úvula, assimilação...*

– Parece complicado, não é? – sorri Irene. – Mas não é tanto assim... O estudo dos sons da fala, a *fonética*, é uma disciplina muito interessante, e quando você pega gosto ela acaba se transformando num jogo delicioso...

– Eu adoro fonética! – declara Vera.

– E o bom é que ela nos ajuda a esclarecer uma grande quantidade de fenômenos que ocorrem na língua que usamos diariamente e que, à primeira vista, não parecem ter muita razão de ser – explica Irene.

– E por que você escolheu falar desse ditongo, justamente? – quer saber Sílvia.

– Porque eu quis mostrar a vocês, mais uma vez, que devemos ter muita cautela na hora de fazer julgamentos sobre a maneira como as pessoas falam – responde Irene. – É muito comum a gente se deixar levar pela forma escrita e cobrar que as pessoas falem o mais próximo possível "do jeito que se escreve", o que muitas vezes é simplesmente impossível, quando não ridículo, por soar artificial e pedante...

– E nunca é demais lembrar – completa Emília, em tom professoral – que *nem tudo o que se diz se escreve e nem tudo o que se escreve se diz...*

Irene aplaude, sorrindo:

– Muito bem, Emília! Mais umas "sessões" e você estará pronta para ocupar o meu lugar...

Todas sorriem e Irene decide encerrar por ali a "aula" da noite.

MÚSICA, MAESTRO!

– redução de E e O átonos pretônicos –

No dia seguinte, de manhã cedo, Eulália transmite um convite de Ângelo para que todas vão jantar na casa dele hoje.

– É o aniversário da Antônia – explica Eulália –, e ela quer festejar com a gente tudo lá.

É claro que todas se animam com a ideia. Vera, no entanto, se preocupa com a "aula" noturna:

– Que pena! Vamos ficar sem aula hoje...

Mas para Emília não há problema sem solução:

– Muito simples, é só mudar o horário da aula da noite para depois do almoço... – sugere ela, e olhando para Irene: – Se a professora estiver de acordo, é claro...

Irene hesita um pouco em sacrificar sua habitual sesta de depois do almoço, mas acaba concordando, ante a insistência da sobrinha e das colegas.

É assim que, por volta das quatro horas da tarde, elas se reúnem na "escolinha" para prosseguir suas discussões sobre o português não padrão, os problemas e as dificuldades do ensino da língua.

Logo de saída, Irene lança uma pergunta às "alunas":

– De onde vocês são?

– De São Paulo! – respondem as três quase em coro.

– Nascidas e criadas lá?

As três jovens balançam a cabeça afirmativamente. Emília, é claro, não resiste e indaga:

– E você, de onde é?

– Eu nasci em São Paulo também – responde Irene –, mas com dois anos de idade minha família se mudou para o Rio de Janeiro. Vivi lá até os dezoito anos, e foi em escolas cariocas que fiz todo o curso primário e secundário... Depois, quando meus pais voltaram, fiz a universidade em São Paulo e nunca mais saí do estado.

– É por isso que você de vez em quando dá umas "cantadinhas" meio "acariocadas"? – pergunta Emília.

– É – confirma Irene. – O período que passei no Rio foi muito importante para a formação dos meus hábitos linguísticos, e ainda conservo alguns deles, mesmo depois de tanto tempo morando por aqui. A maneira de pronunciar certas palavras, o uso de determinadas palavras mais características do falar carioca do que do paulista *et cetera*...

– E isso tem a ver com a nossa aula de hoje? – quer saber Emília, que não deixa escapar nada.

– Tem sim – responde Irene. – Tem porque vamos tratar de uma característica que não pertence exclusivamente ao português não padrão, mas que está, sim, presente em todo o domínio da língua portuguesa, seja no Brasil, em Portugal ou na África. É a questão do E e do o átono pretônico.

– Átono pretônico? – repete Emília. – Que bicho é esse? Parece nome de tenor italiano: Luciano Pavarotti, Giuseppe Di Stefano, Átono Pretônico!

– Por favor, Emília! – suplica Sílvia. – Deixe os pobres cantores em paz!

– Tudo bem, tudo bem... – desculpa-se ela. – Mas posso então dizer que parece nome de remédio para prisão de ventre?

Irene ri gostosamente.

– Quer deixar a Irene explicar finalmente o que é átono pretônico? – suplica Sílvia. – Dá para segurar um pouco o chuveirinho de asneiras?

Emília finge-se emburrada. Irene retoma:

– Qualquer brasileiro de outra região que chega a São Paulo não demora a perceber que os paulistas pronunciam *bolacha*, *mostarda*, *pepino*, *fedido*, quando muitos outros brasileiros pronunciam *bulacha*, *mustarda*, *pipino*, *fidido*. Eu mesma, quando me mudei do Rio para cá, me surpreendi com essa diferença.

– Mas isso é muito simples – arrisca Sílvia. – Eu me lembro que algumas professoras diziam que nós, paulistas, é que falamos mais certo, porque pronunciamos do jeito que está escrito...

– É claro que hoje você já sabe que isso é uma grande bobagem, não é? – replica Irene. – A língua escrita é só uma *representação simbólica* da língua falada, e não um retrato fiel dela. Por isso, embora a ortografia de cada palavra seja uma só para todo o país, cada falante brasileiro de português terá seu modo particular de pronunciá-la. Se os paulistas realmente falassem "mais certo" por pronunciarem "do jeito que está escrito", eles teriam de escrever, por exemplo, "*Sampaulo*", "*Paquembu*", "*adevogado*", "*peneu*" e "*guspir*", porque é assim que todos eles, cultos ou analfabetos, pronunciam as palavras escritas SÃO PAULO, PACAEMBU, ADVOGADO, PNEU e CUSPIR.

– E o que tem isso a ver com os átonos pretônicos? – impacienta-se Emília.

– Vamos ver. Primeiro, por que são *átonos*? – pergunta Irene.

– Porque não estão na *sílaba tônica*, aquela que é acentuada, enfatizada na fala – responde Vera.

– Muito bem. E por que são *pretônicos*?

– Porque estão numa sílaba que vem antes da sílaba tônica, por isso são *pré-tônicos* – diz Vera separando bem as sílabas da última palavra.

– Será que eu entendi? – duvida Sílvia.

Irene vai até a lousa e escreve a giz a palavra CAVALO.

– Veja, por exemplo, esta palavra – diz ela tocando a lousa com a ponta do dedo. – Ela tem três sílabas, certo? CA-VA-LO. A sílaba -VA- é a tônica, é a sílaba pronunciada com mais força. A que vem *antes dela*, CA-, é pretônica, e a que vem *depois dela*, -LO, é postônica. E como só pode existir uma sílaba tônica em cada palavra, todas as outras sílabas são chamadas *átonas*, isto é, *não tônicas*. Tudo bem até aqui?

Sílvia ergue o polegar direito em sinal de confirmação.

– Ótimo – prossegue Irene. – Na língua portuguesa, quando as vogais E e O são postônicas sofrem o que a gente chama de *redução:* elas são pronunciadas de maneira mais fraca e soam como um I e um U. Por isso a palavra OVO é pronunciada *ôvu*, a frase ELE BEBE é pronunciada *êli bébi*, e ninguém se espanta com isso. Esta é uma regra que vale praticamente em todos os lugares do mundo onde se fala o português.

O caso das pretônicas

– Isso quando são postônicas – diz Emília. – Mas e quando são pretônicas?

– Quando estas mesmas vogais E e O são *pretônicas* – responde Irene –, a situação é menos simples, menos geral, menos *sistemática*, como dizem os linguistas. Mesmo assim, dá para a gente investigar algumas causas que provocam a redução destas vogais em grande parte do português-padrão e não padrão do Brasil. Vamos tentar?

E Irene distribui mais uma de suas folhas com quadros impressos.

– Tentem ler as palavras dos dois primeiros quadros abaixo pronunciando o "♪" como um *i* e o "𝄞" como um *u*, que é como muita gente educada e culta (inclusive eu!) pronuncia elas...

Quadro 11	Quadro 12
♪ = i	𝄞 = u
al♪gria	ass𝄞bio
av♪nida	ch𝄞via
b♪bida	c𝄞mida
B♪n♪dito	c𝄞minho
f♪liz	c𝄞zinha
f♪rido	c𝄞rria
fr♪gu♪sia	d𝄞mingo
m♪dida	d𝄞rmir
m♪ntira	f𝄞lia
m♪tido	f𝄞rmiga
p♪dido	g𝄞rila
p♪pino	harm𝄞nia
p♪riquito	n𝄞tícia
pr♪guiça	p𝄞dia
s♪guido	p𝄞ssível
S♪v♪rino	S𝄞fia

Emília lê em voz alta as palavras, para alguns instantes para pensar, depois diz:

– Estou notando uma coincidência nesses dois quadros.

– Qual coincidência? – pergunta Irene.

– Em todas essas palavras, as vogais átonas pretônicas E e O são seguidas por uma sílaba em que a vogal tônica é I.

– É mesmo! – confirma Sílvia, examinando com mais cuidado as duas listas. – Todas as palavras têm um ı na sílaba tônica!

Irene pisca um olho para Vera, depois pergunta:

– Será mesmo uma "coincidência"? Antes de desvendarmos este "mistério", vamos dar uma olhada em mais dois quadros de palavras, que estão na mesma folha. O procedimento é o mesmo: leiam os ♪ como um *i* e os 𝄞 como um *u*...

Quadro 13	Quadro 14
♪ = *i*	𝄞 = *u*
cab♪ludo	c𝄞ruja
p♪ndura	c𝄞stume
s♪gundo	c𝄞stura
s♪guro	f𝄞rtuna
v♪ludo	g𝄞rdura

– E agora? Notaram mais alguma coisa interessante? – desafia Irene. Vera se apressa em responder:

– Dessa vez todas as palavras têm uma vogal ∪ na sílaba tônica.

– Ih... já vi que aqui tem dente de coelho... – diz Emília.

– E tem mesmo – sorri Irene. – Acho que já podemos deduzir algumas coisinhas desses quadros. Vamos lá... A presença de um ı e de um ∪ na sílaba tônica faz com que as vogais átonas pretônicas escritas ᴇ e o se reduzam e sejam pronunciadas *i* e *u*...

– Mas por quê? – pergunta Sílvia.

– Por causa de um fenômeno que tem o lindo nome de *harmonização vocálica* – responde Irene. – Lembram-se quando tratamos do ditongo escrito ᴏᴜ que é pronunciado *ô*? Naquele dia, no restaurante, eu fiz um desenho que representava a produção das vogais dentro da nossa boca.

– Eu copiei ele aqui! – diz Emília, mostrando uma das páginas de seu bloco.

– Reparem no desenho, mais uma vez, que as vogais I e U são as mais altas, as mais fechadas da nossa língua. Quando elas estão presentes na sílaba tônica, elas "puxam para cima" as vogais pretônicas E e O, fechando essas vogais para formar um grupo harmônico, para criar um som único. É um melodioso fenômeno "musical"...

– Vai ver que é por isso que você usou as notas musicais nos quadros... – sugere Emília.

– Claro que é! – confirma Irene, alegre.

– Dá para você resumir tudo isso numa regra simples? – propõe Sílvia.

– Com prazer – responde Irene, voltando à lousa e escrevendo:

Quadro 11:	e–i > i–i (beb_ida > *bib_ida*)
Quadro 12:	o–i > u–i (form_iga > *furm_iga*)
Quadro 13:	e–u > i–u (segu_ndo > *sigu_ndo*)
Quadro 14:	o–u > u–u (cor_uja > *cur_uja*)
Nota: o sinal > significa "transformou-se em"	

– Como você pode ver, Sílvia – retoma Irene –, as coisas que acontecem na nossa língua são muito mais sutis e complexas do que as ideias autoritárias de "certo" e de "errado"...

– E também muito mais bonitas – arremata Sílvia.

– Sem dúvida – concorda Irene. – Estas harmonizações vocálicas dão à língua portuguesa uma musicalidade, uma variedade sonora que só ela tem, e que é muito difícil de ser percebida e aprendida por um estrangeiro, que normalmente se deixa guiar pela forma escrita. Ora, a forma escrita é apenas uma roupagem que dá alguma ideia de como a palavra é, mas que também, como toda roupa, esconde coisas bem mais bonitas e interessantes que só alguns conseguem ver..

Emília dá uma gargalhada. Irene pisca para ela com ar sapeca.

Bolacha com mostarda?

– Mas a coisa não para aí – retoma a professora. – Existe um outro grupo de palavras que têm um O átono pretônico pronunciado *u*, sem que elas apresentem nenhum I ou U na sílaba tônica.

– Bem que eu achei que estava simples demais... – comenta Emília.

Irene tira mais algumas folhas de sua pasta de cartolina e pergunta:

– Vocês têm paciência para mais um quadro? Juro que é o último de hoje...

Ela distribui as folhas, e as três jovens observam:

Quadro 15

𝄞 = u

b𝄞ato	m𝄞cambo
b𝄞cado	m𝄞eda
b𝄞dega	m𝄞ela
b𝄞lacha	m𝄞lambo
b𝄞neca	m𝄞leque
b𝄞rracha	m𝄞queca
b𝄞tão	m𝄞rango
b𝄞teco	m𝄞starda

– Aqui até um bebezinho percebe que todas as palavras têm um B ou um M antes do O que sofre a redução... – adianta-se Emília.

– Neste caso o que se escreve BO é pronunciado *bu* – diz Sílvia –, e o que se escreve MO é pronunciado *mu*...

– Quer dizer que dessa vez os "culpados" são o B e o M? – arrisca Vera.

– Isso mesmo – confirma Irene.

– E por quê? – pergunta Vera.

– Porque as consoantes B e M são *bilabiais*, como já vimos antes – recorda Irene. – Elas são pronunciadas com um movimento de fechamento-abertura dos dois lábios.

– *Bebê qué mamá* – diz Emília, exagerando o movimento bilabial das palavras *bebê* e *mamá*.

– Já a vogal O, para ser pronunciada, precisa de um arredondamento dos lábios, e até os inventores do alfabeto perceberam isso quando criaram, para representá-la, este pequeno símbolo rendondo: O – diz Irene, fazendo com um dedo um círculo no ar.

– Para não terem de passar de um fechamento muito grande para um arredondamento muito grande, os lábios "espremem" um pouco o o, e abrem-se menos, já que produzem um *u*, que é, como podemos sentir, uma vogal também redonda mas mais fechada que o o.

– Mais um prodígio "musical" da nossa língua! – conclui Vera, sorrindo.

Uma hipótese para São Paulo

– Por que será que em São Paulo essas reduções não acontecem na mesma intensidade das outras regiões do Brasil? – pergunta Sílvia.

– É uma pergunta que só poderá ter uma resposta depois de muita pesquisa de campo e de reflexão cuidadosa – afirma Irene. – Por enquanto, a gente pode ficar só nas suposições, e eu mesma tenho cá a minha hipótese.

– E qual é? – interessa-se Emília.

– São Paulo sofreu uma grande colonização de origem italiana, e muita gente diz que São Paulo é uma das maiores "cidades italianas" do mundo. A presença cultural italiana é marcante, e um de seus pontos fortes é a deliciosa arte culinária, exercida nas casas das famílias e nas inúmeras cantinas espalhadas por todos os bairros da cidade... Eu mesma tenho sobrenome italiano, Amaggio, que é o mesmo da Verinha...

– Pois eu me chamo Emília Stornello Rossi, pai e mãe italianos...

– Não seja por isso – intervém Sílvia –, meu nome completo é Silvia Giovanna Sangiorgio Dalla Chiesa, pai, mãe e futuro marido italianos, se Deus quiser...

– É que o namorado dela, o Pedro, também é de família italiana – explica Vera.

– Viram só o que eu disse? – comenta Irene. – Nós somos a prova viva dessa grande imigração...

– E o que tem isso a ver com o modo de falar dos paulistanos? – indaga Vera.

– Na minha hipótese, tem tudo a ver – responde Irene. – O "cantarolado" típico do falar paulistano, muito do seu vocabulário e muitas construções gramaticais que caracterizam este falar são facilmente identificáveis nas diferentes variedades de italiano que os imigrantes falavam quando chegaram aqui. Chamar as pessoas de "*belo*", "*bela*" e reduzir os nomes próprios à primeira sílaba... Júlia vira Ju, Sônia vira Sô, Luís vira Lu... são expressões de afetividade caracteristicamente italianas. Até mesmo alguns palavrões e xingamentos que usamos são de pura raiz italiana...

– É mesmo? – interessa-se Emília, sempre impertinente. – Quais, por exemplo?

Irene não se abala com a pergunta maliciosa:

– *Cazzo*, por exemplo – responde ela, tranquila –, que é uma coisa que os meninos têm e nós não ...

Todas riem. Sílvia vira-se para Emília:

– Gostou?

Emília não se dá por achada:

– Meu interesse é puramente científico, tá? – e para Irene: – Que mais?

– O adjetivo *cafona*, que vem do italiano do sul *cafone*, usado primeiro para designar o camponês, para depois significar "de mau gosto, antiquado", como fizemos com o nosso "caipira"...

– Mais preconceito... – suspira Vera.

– Pois é, – confirma Irene –, mas também a nossa fórmula de despedida mais comum e informal, o *tchau*, que hoje escrevemos à moda brasileira, provém em linha reta do *ciao* italiano.

– Só que os italianos usam o *ciao* não só para se despedir, mas também para se cumprimentar quando chegam – acrescenta Vera.

– É verdade – confirma Irene. – Além disso, o falar paulistano se caracteriza também por desnasalizar as vogais seguidas de M ou N mais vogal, ao contrário do que acontece no resto do Brasil.

– Como assim? – pergunta Sílvia.

– O paulistano diz *fóme*, *hómem*, *António*, *nós viémos*, *fizémos*, *quisémos*, com vogais bem orais, enquanto no resto do português do Brasil se diz *fõme*, *hõmem*, *Antõnio*, *nós viẽmos*, *fizẽmos*, *quisẽmos* por causa do contato da vogal com a consoante nasal que vem depois dela. Isso também pode ser atribuído à influência do italiano, que é uma língua que não tem as vogais nasais tão características do português.

– Gente, que coisa mais interessante! – exclama Sílvia. – Eu ia morrer sem saber disso...

– Ora, o italiano é uma língua que não apresenta as reduções de E em I e de O em U que caracterizam o português. Em italiano, o que se escreve E é sempre pronunciado E, o mesmo acontecendo com o O – prossegue Irene. – A minha hipótese é que os imigrantes recém-chegados tiveram de aprender o português e nessa aprendizagem, como sempre acontece com línguas em contato, eles transferiram para a sua nova língua algumas características do italiano. Este português "italianado" foi-se constituindo pouco a pouco até transformar-se na variedade paulistana que existe hoje.

– Eu acho que a sua hipótese faz bastante sentido, tia – comenta Vera. – Já passei umas férias no Paraná e fiquei espantada como lá eles falam diferente de nós! Eles não reduzem nem mesmo as vogais finais, e dizem *leitE*, *gentE*, *fogO*, *altO*. Parecem mesmo estrangeiros falando português...

– É que o Paraná, bem como os outros estados do Sul, receberam, além dos italianos, outros imigrantes europeus: alemães, ucranianos, poloneses, espanhóis. Se minha hipótese estiver realmente certa, isso explicaria a diferença tão marcante entre o falar do Sul e o do resto do Brasil.

– Muito bem, adorei a explicação – disse Emília. – Só falta esclarecer uma questão: "Quem fala mais certo?"

– Ninguém fala "mais certo", Emília, porque todo mundo fala "igualmente certo" – responde Irene.

– Como assim, igualmente certo? – pergunta Sílvia.

– Todo mundo fala de um modo que tem explicações na história *da língua* ou na história de *quem* fala esta língua. E falar "diferente", como eu venho insistindo o tempo todo, não quer dizer falar "errado".

– E essa história de que o lugar onde se fala mais certo no Brasil é o Maranhão? – pergunta Emília. – Já ouvi falar disso mais de uma vez.

– É só mais um mito – explica Irene –, mais uma bobagem baseada em preconceitos. Da mesma forma que é uma grande bobagem dizer que os portugueses "sabem mais português" que os brasileiros...

Falar "do jeito que se escreve" não significa "falar mais certo"

– No início da nossa conversa você disse que o fenômeno da redução do E e o átonos pretônicos não é característica exclusiva do português não padrão – lembra Vera. – Ora, se ele existe também no português-padrão, por que foi que você o incluiu nas nossas "lições" de PNP?

– Por uma razão bem simples – responde a professora. – Como a própria Sílvia testemunhou, existe uma tendência muito forte na nossa escola a querer obrigar o aluno a pronunciar a língua "do jeito que se escreve", como se essa fosse a maneira "certa" de aprender o português. Muitas gramáticas e muitos livros didáticos chegam a aconselhar ao professor que "corrija" quem fala *muleque, burracha, fidido*, como se isso pudesse anular o fenômeno da harmonização, um fenômeno natural e muito antigo na história do português.

– Mas nós não temos de ensinar nossos alunos a escrever de acordo com a ortografia oficial? – pergunta Sílvia.

– É claro que temos – responde Irene –, mas não podemos fazer isso tentando criar uma língua "artificial" e reprovando as pronúncias que são um resultado natural das forças internas que governam o idioma, inclusive nas suas variedades cultas.

– Então como devemos agir? – quer saber Emília.

– Eu digo ao meu aluno que ele pode falar *bonito* ou *bunito*, *menino* ou *minino*, mas que só pode escrever BONITO e MENINO, porque é preciso uma ortografia única para toda a língua, para que todos possam ler e compreender o que está escrito – explica Irene. – A língua escrita é um conjunto de símbolos, que podem ser interpretados de maneiras variadas de acordo com uma série de fatores. A letra E, por exemplo, é um símbolo que pode estar representando o som *ê*, como em TELHA; o som *é*, como em VELHA; o som *i*, como em MOLE, e até estes três sons de uma vez só, como em MERECE, sem que haja nenhuma alteração na sua forma gráfica, no seu desenho.

– É mesmo – admite Vera.

– Pensem, também, nos símbolos matemáticos – sugere Irene –, nos sinais de trânsito, na notação musical e em tantos outros símbolos que podem ser compreendidos em qualquer lugar do mundo.

Ela vai até a lousa e desenha:

– Qualquer pessoa, em qualquer lugar do mundo, ao ver este símbolo saberá que naquele local é proibido fumar. Só que um falante de inglês, ao ver o símbolo, vai interpretá-lo como *"no smoking"*, um falante de francês como *"défense de fumer"*, um falante de italiano como *"vietato fumare"*, e assim por diante...

– Puxa, é verdade... – diz Emília, baixinho.

– Mesmo não sendo tão universal quanto os símbolos matemáticos, os sinais de trânsito ou a notação musical – continua Irene –, a forma escrita de uma língua, *de qualquer língua do mundo*, também tem este caráter simbólico, também é uma *representação única para interpretações variadas*.

Ela para um instante para refletir, depois volta a falar:

– Pensem no que aconteceria se a gente desse a mesma receita de bolo a cinco cozinheiros diferentes e pedisse que eles a fizessem. Os bolos provavelmente seriam muito parecidos, mas cada um ia ter um "toque" diferente: um ficaria mais macio, outro mais massudo; um estaria mais doce, outro menos; um estaria mais dourado, outro mais claro, e assim por diante. Por quê? Porque a receita *escrita* é a mesma, mas haveria diferença na *produção* do bolo. Um cozinheiro bateria a massa por mais tempo que os demais; outro usaria manteiga de melhor qualidade; outro deixaria as claras em neve mais firme que os outros e assim por diante...

–E o mesmo acontece com a língua que a gente fala?–pergunta Vera.

– Acontece, sim – responde Irene. – Todos nós que fomos à escola aprendemos a "receita" de ler, mas, na hora de produzir na fala o que lemos, deixaremos nossa marca pessoal na leitura. Não é maravilhoso?

– Absolutamente maravilhoso! – entusiasma-se Emília.

– Prestem atenção ao tipo de correção que vocês estão fazendo – sugere Irene. – Corrijam o que está inadequado, o que está ambíguo ou confuso: corrijam a escrita, mas não corrijam o que é espontâneo, natural, harmonioso e saboroso na fala...

Emília se levanta de repente, abraça Irene e enche ela de beijos.

– Ei, Emília, para com isso, a tia é minha! – exclama Vera, levantando-se também.

– Mas eu já adotei ela como tia minha também, pra seu governo – retruca Emília.

– Nada de ciúmes, meninas! – graceja Irene. – Eu também já adotei todas vocês como minhas sobrinhas preferidas.

Sílvia consulta o relógio e diz:

– Gente, vocês sabiam que já passou das seis? E eu que ainda queria passar em algum lugar para comprar um presentinho para a Antônia...

Todas então se apressam em deixar a "escolinha", e cada uma vai se preparar para a festa desta noite.

QUE COISA MAIS ESDRÚXULA!
– contração das proparoxítonas em paroxítonas –

Na noite seguinte, já todas reunidas, Irene anuncia o tema do serão:

– Um traço característico do português não padrão é que nele as palavras proparoxítonas praticamente não existem. E é disso que vamos falar hoje. As *proparoxítonas*, como vocês sabem muito bem, são aquelas palavras cuja sílaba tônica é a antepenúltima. Quem me dá exemplos?

– FÁBRICA, ELÉTRICO, MÁQUINA... – diz Sílvia.

– RIDÍCULO, ESTÚPIDO, HIPÓCRITA... – completa Emília. – Parece que o português não padrão tem "preguiça" de pronunciar estas palavras "sofisticadas", não é? Mas eu já aprendi que a explicação pela "preguiça" é ridícula, estúpida e hipócrita...

– Isso mesmo, Emília – diz Irene –, nós, que estamos tentando descobrir a lógica de funcionamento do PNP, não podemos aceitar essa explicação. Vamos tentar outra?

Irene distribui mais uma de suas famosas folhas impressas, dizendo:

– Para começar, vamos observar estas palavras que no português padrão são proparoxítonas e ver como elas são pronunciadas no PNP.

Quadro 16

PORTUGUÊS PADRÃO		PORTUGUÊS NÃO PADRÃO
árvore	>	*arvre*
córrego	>	*corgo*
cubículo	>	*cuvico*
fósforo	>	*fósfro*
glândula	>	*landra*
música	>	*musga*
pássaro	>	*passo*
sábado	>	*sabo*
tábua	>	*tauba*
víbora	>	*briba*

– Quanta transformação, tia Irene – admira-se Vera.

– É mesmo – concorda Sílvia. – Algumas palavras ficaram bastante diferentes. Se o quadro não mostrasse a forma da língua padrão, eu teria dificuldade em saber de onde a forma não padrão tinha saído...

– Você tem razão, Sílvia – diz Irene. – Fica mesmo difícil reconhecer que *briba* provém de VÍBORA e que *landra* provém de GLÂNDULA. E o mais interessante é que estas palavras sofreram também uma transformação de significado. *Briba*, em algumas regiões do Nordeste, é o nome dado à lagartixa caseira. E *landra* é um termo empregado para designar as amígdalas inflamadas...

– Que curioso... – deixa escapar Emília.

– Outra palavra que poderia ter entrado neste quadro é *tique,* que é a forma não padrão de TÍQUETE, do inglês TICKET, que já vi escrito em muito restaurante bom: "Aceitamos todos os tiques" – continua Irene. – A mesma coisa acontece em alguns hotéis, onde os apartamentos STANDARD, palavra inglesa que significa "padrão", viraram apartamentos *estande.*

– O que foi que aconteceu, afinal? – pergunta Sílvia. – Por que estas palavras ficaram assim?

– O que aconteceu foi que estas palavras sofreram uma *contração* – responde Irene. – Sofreram algum tipo de "encolhimento" para caberem no ritmo natural do PNP, que é um ritmo paroxítono, no qual a sílaba tônica é sempre a penúltima.

O que nos diz a história da língua

– E esse ritmo paroxítono é exclusivo do português não padrão? – pergunta Emília.

– Parece que não – responde Irene. – Um breve exame da história da língua portuguesa pode, mais uma vez, esclarecer muita coisa. Logo abaixo do primeiro quadro há outro com algumas palavras muito conhecidas, usadas por todos os falantes cultos de português. Observem agora quais são as palavras latinas que deram origem às formas atuais do português.

Quadro 17

PORTUGUÊS PADRÃO		LATIM	PORTUGUÊS PADRÃO		LATIM
ASNO	<	ÁSINU-	MILAGRE	<	MIRÁCULU-
BRAVO	<	BÁRBARU-	OBRA	<	ÓPERA-
CALDO	<	CÁLIDU-	OMBRO	<	ÚMERU-
COALHO	<	COÁGULU-	PALAVRA	<	PARÁBOLA-
COELHO	<	CUNÍCULU-	PERIGO	<	PERÍCULU-
CONTO	<	CÓMPUTU-	POBRE	<	PÁUPERE-
DEDO	<	DÍGITU-	POVO	<	PÓPULU-
ESPELHO	<	SPÉCULU-	QUARESMA	<	QUADRAGÉSIMA-
FALA	<	FÁBULA-	REGRA	<	RÉGULA-
FRIO	<	FRÍGIDU-	SOGRA	<	SÓCERA-
GENRO	<	GÉNERU-	TELHA	<	TÉGULA-
ILHA	<	ÍNSULA-	TREVA	<	TÉNEBRA-
HOMEM	<	HÓMINE-	VELHO	<	VÉTULU-
LETRA	<	LÍTTERA-	VERDE	<	VÍRIDE-
MALHA	<	MÁCULA-	VERMELHO	<	VERMÍCULU-

– Que lista enorme! – espanta-se Vera.

– Mas ela poderia ser ainda maior – explica Irene –, pois é imensa a quantidade de palavras proparoxítonas latinas que em português se transformaram em paroxítonas. Algumas sofreram transformações tão radicais quanto aquelas que vimos no primeiro quadro de VÍBORA > *briba* e de GLÂNDULA > *landra*. É difícil reconhecer em COELHO o latim CUNÍCULU-, ou em TREVA o latim TÉNEBRA-.

– Aqui também houve transformação de significado, Irene? – pergunta Sílvia.

– Certamente que houve. Além disso, às vezes de uma única palavra latina surgiram várias outras em português. O latim MÁCULA-, por exemplo, além de MALHA também deu em português MÁGOA, MANCHA e MÁCULA, palavra de uso mais literário. Vejam quantas mudanças na forma e no significado... A contração também atingiu alguns nomes próprios, como os das conhecidas cidades portuguesas de BRAGA (em latim BRÁCARA) e COIMBRA (em latim CONÍMBRIGA), ou os nomes de pessoas CARLOS (em latim CÁROLUS) e ESTÊVÃO (em latim STÉPHANU-).

– Que diria um cidadão romano, falante do latim clássico, se fosse trazido de volta à vida nos dias de hoje e nos ouvisse falar? – imagina Vera. – Talvez pensasse: "Que povo mais preguiçoso!"

– E estaria pensando errado – diz Irene – porque a preguiça nada tem a ver com o caso. Pelo contrário, o que aconteceu foi uma *aceleração no ritmo da fala*, a língua ficou mais dinâmica, mais rápida, e este fenômeno aconteceu não só em português, mas também em outras línguas da família, como o espanhol e o francês. Alguns estudiosos nos informam que já no latim havia esta tendência e era comum se dizer *períclum* ("perigo") em vez de *perículum*.

– E no que deu essa aceleração? – pergunta Sílvia.

– Com a aceleração do ritmo da fala, as vogais que se encontravam depois da sílaba tônica foram sendo pronunciadas cada vez mais fracas até desaparecerem por completo. Depois, outras transformações aconteceram e aquelas palavras ganharam o aspecto que têm hoje no português-padrão...

– Coitadinhas das vogais postônicas – diz Emília em tom infantil. – Foram engolidas pelo bicho-papão da sílaba tônica...

– Foram mesmo – confirma Irene sorrindo. – A própria norma-padrão reconhece este fenômeno. Para designar as tetas da vaca, os dicionários admitem a forma ÚBERE, proparoxítona, e também a forma UBRE, paroxítona. E embora alguns gramáticos mal-humorados façam cara feia, não há como impedir que o povo chame de *azaleia* a linda flor que eles teimam em nos obrigar a chamar de *azálea*...

– *Azálea jacta est* – diz Emília, e todas caem na gargalhada.

Vocabulário erudito e vocabulário popular

Passado o riso, Vera pergunta:

– Mas apesar dessa tendência, nós temos ainda muitas palavras proparoxítonas em português, tia. Por quê?

– De fato, temos, Verinha. Mas se você reparar bem, são palavras, em sua maioria, "sofisticadas", como disse a Emília. Termos de uso literário, ou termos técnicos e científicos, formados diretamente com base no latim ou no grego: TÉPIDO, TÚGIDO, ÍNCLITO, ÁCIDO, TÉCNICO, PÚTRIDO, ÂMAGO, TÓRRIDO, EFÊMERO, ÁVIDO,

IMPÁVIDO, LÁBARO, LÚGUBRE, FÚNEBRE, FÍSICO, PSÍQUICO, MÍSTICO...
– É mesmo, tia, não são exatamente palavras de uso corriqueiro, de uso popular.

– Elas constituem aquilo que é chamado o *vocabulário erudito* da língua portuguesa – explica Irene. – É por isso que algumas vezes uma mesma palavra latina, como já vimos, deu origem em português a duas palavras novas: uma, mais antiga, paroxítona, de uso popular, e outra, de formação mais recente, proparoxítona, de uso erudito.

– Exemplos, por favor – pede Emília.

– No segundo quadro, Emília, veja o latim COÁGULU- – indica Irene. – Na língua popular ele deu origem a COALHO, e na língua erudita a COÁGULO, termo técnico da medicina. É por isso que o leite COALHA, mas o sangue COAGULA.

– Por que meus professores de latim nunca me ensinaram as coisas desse jeito? – lamenta Vera. – Ia ser tão melhor do que ficar decorando aquelas listas de declinações insuportáveis...

– Não é mesmo? – concorda Irene.

– E como fica a divisão do bolo da língua entre as paroxítonas e as proparoxítonas no português de hoje? – pergunta Sílvia.

– Muito desigual – responde Irene. – As proparoxítonas perdem de longe... As paroxítonas constituem a esmagadora e retumbante maioria das palavras. Só para você ter uma ideia, eu tenho aqui uns números anotados... – ela consulta uma folha de papel. – Camões, nosso velho conhecido, no seu maravilhoso poema épico *Os Lusíadas*, que é a obra-prima da língua portuguesa clássica, só usou 267 palavras proparoxítonas, o que equivale a apenas 5% de todo o vocabulário utilizado no poema.

– Que mixo! – comenta Emília.

– *Os Lusíadas* têm 8.816 versos – continua Irene. – Destes, 8.325 (94%!) têm rima paroxítona, 482 têm rima oxítona e apenas nove versos apresentam rima proparoxítona...

– Pobrezinhos, tão solitários... – lamenta Emília.

– E vejam que *Os Lusíadas* é uma obra extremamente requintada, com um vocabulário riquíssimo, que inclui lindos proparoxítonos como *áfrico*, *altíssono*, *ígneo*, *íncola*, *túmido*, *undívago*... Mas eles naufragam no enorme oceano de paroxítonos...

– E como seria num texto mais simples? – imagina Sílvia.

– Faça você mesma o teste – sugere Irene. – Escolha uma notícia de jornal ou de revista, assinale as palavras proparoxítonas presentes no texto e compare o número delas com o das palavras paroxítonas. Os números certamente vão apresentar uma diferença ainda maior do que n'*Os Lusíadas*.

Mais duas palavrinhas

– Quer dizer que as proparoxítonas constituem mesmo um "corpo estranho" dentro da língua portuguesa? – conclui Vera.

– De certa forma, sim – responde Irene. – E podemos dar duas provas disso. A primeira, a questão do acento gráfico. Quando aprendemos a usar os acentos gráficos somos apresentadas a uma regra que diz: "*Todas as palavras proparoxítonas são acentuadas*". Por quê?

– Porque, justamente, a tendência natural, o ritmo próprio do português é o paroxítono, acertei? – anima-se Emília.

– Acertou – confirma Irene. – Vejam só, uma palavra escrita simplesmente DUVIDA não apresenta problemas para um falante de português alfabetizado, pois ele naturalmente a lerá acentuando, na fala, a sílaba -VI-. Mas para que ele acentue na fala a sílaba DU-, será preciso que ela venha enfeitada com um acento gráfico – DÚVIDA –, pois esta acentuação não corresponde à tendência natural do português. É por isso também que as paroxítonas só são acentuadas graficamente nuns casos bem específicos, e a maioria delas não recebe acento gráfico.

– E qual a segunda prova da "esquisitice" das proparoxítonas? – quer saber Sílvia.

– A outra coisa que nos revela essa "esquisitice" da acentuação na antepenúltima sílaba é o termo que também se usa para designar as palavras proparoxítonas. Quem sabe?

Emília, Vera e Sílvia se entreolham. Ninguém sabe.

– Meninas, que vergonha! – diz Irene. – Nenhuma de vocês ouviu falar de palavras *esdrúxulas*?

– Esdrúxulas? – repete Vera. – Conheço essa palavra, mas não sabia que era usada para designar as palavras proparoxítonas.

– Pois é, sim – diz Irene. – Mas, vejam vocês, este adjetivo, além de designar as proparoxítonas, também passou a significar, na linguagem familiar, "esquisito, estranho, fora do comum", justamente por ser uma palavra *esdrúxula*!

– Vivendo e aprendendo... – comenta Emília, anotando em seu bloquinho.

– Como vimos mais uma vez – conclui Irene –, aquilo que parece "errado" ou "estranho" no português não padrão é, na verdade, resultado da ação de tendências muito antigas na língua, que são refreadas, reprimidas pela educação formal, pelas regras da linguagem literária, oficial, escrita, mas que encontram livre curso na boca do povo.

QUEM ERA O HOME QUE EU VI ONTE NA GARAGE?

– desnasalização das vogais postônicas –

Na manhã seguinte, durante o prolongado café da manhã só permitido a quem está de férias, Vera pergunta a Irene:

– Tia, por que será que é tão comum as pessoas dizerem *home*, *onte*, *garage* em vez de *homem*, *ontem*, *garagem*, com o "m" final? Agora mesmo, antes de sair, a Eulália disse que ia à quitanda comprar *vage* para fazer no almoço...

Irene toma um gole de seu café e medita por alguns instantes. Sem dizer nada, levanta-se da cadeira à mesa da cozinha e vai até um pequeno armário ali perto, em cuja gaveta encontra uma caneta e um bloco de papel. Volta à mesa e começa a rabiscar alguma coisa, parando de vez em quando para pensar.

Vera, Sílvia e Emília acompanham os gestos de Irene, curiosas. Emília cochicha ao ouvido de Vera:

– Atenção! Gênio trabalhando... – e sufoca o riso.

– Psss... – faz Vera levando um dedo à boca.

Irene está tão absorta em seus pensamentos que fica alguns minutos parada, com o olhar voltado para o teto e a xícara de café suspensa no ar. Vera não resiste:

– Tia, você ouviu o que eu perguntei?

Irene, como que acordada de um transe hipnótico, pisca os olhos, baixa a mão que sustenta a xícara, sorri e responde:

– Claro que ouvi a sua pergunta, Verinha... Só que ela me pegou de surpresa: é um assunto que eu não tinha incluído na minha pesquisa... Agora que você falou, começaram a vir mil ideias na minha cabeça, e preciso anotá-las antes que se evaporem... Sabem como é, a memória é nossa melhor inimiga...

Irene volta a rabiscar algumas coisas no bloco. Vera mastiga sua impaciência junto com um biscoitinho de polvilho, enquanto Emília e Sílvia disputam o pote de geleia de ameixa para passar no pão.

Finalmente, a professora diz:

– A sua pergunta, Verinha, tem a ver com uma tendência à *desnasalização das vogais postônicas* na língua portuguesa...

Emília intervém:

– Irene, me desculpa, mas essas palavras que vocês usam na Linguística parecem mesmo nome de doença... – e ela encena um pequeno diálogo, fazendo vozes diferentes: – "E então, Doutor Feitosa, qual o problema com o Adamastor Henrique?" "Nada de grave, Dona Gertrudes, é só uma pequena desnasalização das vogais postônicas"...

Não há quem consiga conter o riso diante da interpretação exagerada de Emília.

– Mas tem que ser assim mesmo, Emília – diz Irene depois que consegue parar de rir. – Na ciência, os fenômenos, as regras, as leis têm que ter nomes precisos, para facilitar o estudo e a análise... Mesmo que estes nomes não sejam exatamente os mais bonitos do mundo...

Vera se volta para Emília e diz:

– Satisfeita, estrela? Já deu o seu *showzinho*? Ela pode responder agora à minha pergunta, ou a palhaça tem ainda algum número para apresentar?

– Titia é toda sua – responde Emília.

– Muito obrigada – agradece Vera. – E então, tia?

– Eu rabisquei aqui algumas palavras em latim e ao lado delas coloquei a forma correspondente em português-padrão moderno – responde Irene. – Vejam aqui...

E ela coloca no centro da mesa o bloco onde rascunhou o seguinte quadro:

Quadro 18

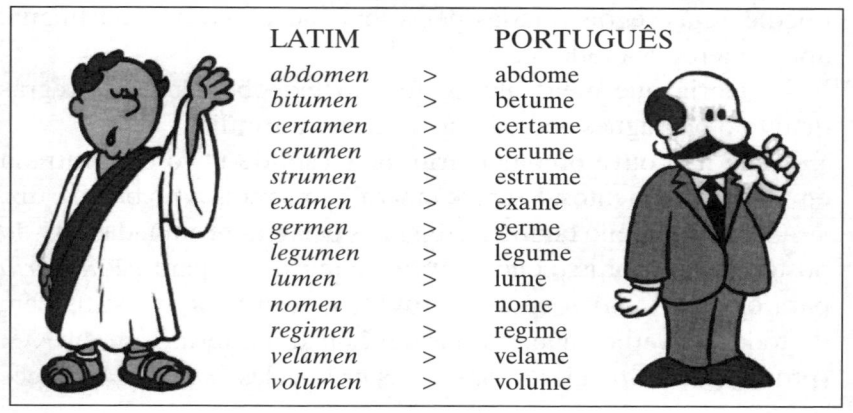

LATIM		PORTUGUÊS
abdomen	>	abdome
bitumen	>	betume
certamen	>	certame
cerumen	>	cerume
strumen	>	estrume
examen	>	exame
germen	>	germe
legumen	>	legume
lumen	>	lume
nomen	>	nome
regimen	>	regime
velamen	>	velame
volumen	>	volume

– Que interessante – comenta Vera –, todas estas palavras, tão usadas em português atual, tinham em latim um N final que desapareceu.

– Desapareceu, mas deixou vestígios – explica Irene –, e é por isso que até hoje dizemos *abdominal*, *betuminoso*, *examinar*, *luminária*, *nominal*, com aquele mesmo N que se perdeu nos substantivos. E algumas destas palavras conservaram uma dupla grafia possível: *abdome/abdômen*, *certame/certâmen*, *cerume/cerúmen*, *germe/gérmen*, *regime/regímen*, *velame/velâmen*... Só que estas formas com N final praticamente não são usadas nem na língua oral nem na escrita, e quase não as encontramos hoje em dia, a não ser quando alguém quer se divertir com elas ou parecer pedante...

– O que aconteceu? Por que desapareceu esse N final? – pergunta Sílvia.

– Ao que parece, existe a tendência na língua portuguesa de *eliminar a nasalidade das vogais postônicas* – responde Irene. – Quer dizer, o som nasal das vogais que estão depois da sílaba tônica, como em todas estas palavras do quadro... E também em *homem*, *ontem*, *Virgem*, além de todas as inúmeras palavras terminadas em *-agem* (*garagem*, *viagem*, *bobagem* etc.).

– Por que será que o português-padrão conservou o M destas palavras? – interessa-se Vera.

– Talvez tenha sido a alta frequência de uso delas na norma-padrão – propõe Irene. – As outras palavras, aquelas do quadro, têm uso menos frequente e acabaram "apanhadas" pela regra da desnasalização. O português não padrão, no entanto, que é mais obediente às regras ditadas pelas tendências internas da língua, aplicou a regra a todas elas.

– Queria que meus alunos fossem tão obedientes às regras quanto o português não padrão... – suspira Emília.

Irene não ouve o comentário, pois está de novo concentrada em seus pensamentos. Escreve mais algumas coisas no bloco e diz:

– Este fenômeno também atingiu as palavras terminadas em *-ão* postônico, e é por isso que no PNP ouvimos *orgo* para ÓRGÃO, *orfo* para ÓRFÃO, *Cristovo* para CRISTÓVÃO, *Estevo* para ESTÊVÃO, além de todos os verbos que, no português-padrão, terminam em -AM (pronunciado *-ão*): eles *cantaro*, eles *fizero*, eles *bebero*... Acontece também com os nomes próprios do tipo AÍRTON, NÉLSON, WÍLSON, MÍLTON, que no falar descontraído são pronunciados *Aírto*, *Nélso*, *Wílso*, *Mílto*... O mesmo se dá com a palavra ÁLBUM, que muita gente pronuncia *albo*... Outro fato curioso é que a palavra que hoje pronunciamos *frango* no português mais antigo era *frângão*...

– Frângão? – repete Emília, espantada. – Que coisa mais engraçada! – e ela improvisa um rápido diálogo: – "Que temos hoje para o *rângão*, querida?" "*Frângão* ensopado com batata, meu amor!" "Que delícia, mas antes vamos dançar um *tângão*" "Pare com isso senão eu me *zângão*!"

– Chega, Emília, por favor! – implora Vera. – Não sei como você consegue falar tanta bobagem...

– Bobagem, não – corrige Emília –, *bobage*, *bo-ba-ge*, obedeça à regra...

Vera dispara uma bolinha feita de miolo de pão na direção de Emília, que se desvia e evita o golpe. Sílvia, alheia à disputa, volta-se para Irene e diz:

– Mais uma vez a gente é obrigada a reconhecer que quem diz *onte*, *home*, *garage*, *bobage*, não está falando "errado", não é Irene? Está até, de certa forma, falando mais "certo", já que está respeitando a "regra" de desnasalização da vogal postônica que é natural da língua...

– Sabendo disso, Sílvia, quando um aluno, ou qualquer outra pessoa, pronunciar *home*, *onte*, *garage*, *bobage*, você já vai poder corrigir com a consciência de que está tentando ensinar uma forma oficial, padrão, culta, que na verdade é apenas *conservadora*, enquanto as formas não padrão, populares, são *inovadoras* e respeitam as tendências normais do idioma...

Emília e Vera continuam sua guerrinha de miolo de pão. Irene se levanta, vai até onde elas estão à mesa, segura as mãos de ambas e diz:

– Nada de brigas na minha casa! Afinal, meu nome é Irene, que em grego significa "paz". Por isso, as senhoritas larguem já essas "armas" e vão passear por aí, que eu tenho muito o que fazer...

QUEM NÃO SE ALEMBRA DE CAMÕES?
– arcaísmos no português do Brasil –

Quando, naquela noite, as três colegas entram na "escolinha", Irene mal espera que elas se acomodem em suas carteiras e diz:

– Deem uma olhada nos verbos que eu escrevi na lousa e depois me digam se vocês conhecem eles.

Vera, Emília e Sílvia obedecem. Emília lê em voz alta:

Quadro 19

abastar	ajuntar	alembrar	alevantar
alimpar	alumiar	amostrar	aqueixar
aquentar	arrecear	arrenegar	arreparar
arrodear	assentar	assoprar	avoar

– Vocês devem estar pensando que esta é mais uma das minhas listas de palavras que pertencem ao português não padrão, ao português que a maioria das pessoas chama de "errado", quando não dizem simplesmente que "isso não é português" – diz Irene.

– Era o que eu ia mesmo dizer – admite Sílvia –, mas já percebi que aí tem dente de coelho...

Irene sorri:

– E tem mesmo... Só que antes de desvendar o mistério, vamos arreparar nos seguintes versos...

E ela distribui uma folha impressa, onde está escrito:

Quadro 20

1. "Nem as ervas do campo bem lhe *abastam*"
2. "Vinham as claras águas *ajuntar*-se"
3. "Mas *alembrou*-lhe uma ira que o condena"
4. "*Alevantando* o rosto assim dizia"
5. "*Alimpamos* as naus, que dos caminhos"
6. "A noite negra e feia se *alumia*"
7. "Andar-lhe os cães os dentes *amostrando*"
8. "Que se *aqueixa* e se ri, num mesmo instante"
9. "Por mais tempo que o Sol o mundo *aquente*"
10. "Que de tão pouca gente se *arreceia*"
11. "Morrem, *arrenegando* o Céu e os fados"
12. "Mais abaixo, os menores se *assentavam*"
13. "Que em vão *assopra* o vento, a vela inchando"

– E agora? – desafia Irene. – Será que estes versos têm jeito de pertencer ao português não padrão?

– Se eu te conheço bem, isso aí tem o jeitão do Camões... – arrisca Emília.

– Pois acertou em cheio – cumprimenta Irene. – São mesmo versos d'*Os Lusíadas*, do meu querido Luís de Camões.

– E o que você quer mostrar com isso? – pergunta Vera. – Camões a gente sabe que não errava...

– E não errava mesmo – confirma Irene. – O que quero mostrar é muito simples. Quero mostrar que muita coisa que a gente pensa que está "errada", que é fala de "gente ignorante", na verdade não é nada disso. De fato, esses supostos "erros" são heranças muito antigas, vestígios de outros tempos, verdadeiros "fósseis" linguísticos. Eles recebem o nome técnico de *arcaísmos*.

O passado alumiando o presente

– Arcaísmo tem a ver com arcaico, e "arcaico" quer dizer "velho", não é? – diz Sílvia.

– Exatamente – responde Vera. – Vamos recordar um pouco a nossa história. A língua portuguesa chegou ao Brasil no início do século XVI. Naquela época, os portugueses não falavam nem um pouco parecido com o modo como falam hoje...

– Ah, não? – admira-se Sílvia.

– Não – confirma Irene. – Eles falavam, isso sim, de um jeito bem mais próximo do falar do brasileiro de hoje.

– Gente, que coisa... – surpreende-se Emília. – Ontem mesmo, na televisão, tinha um programa humorístico satirizando o Descobrimento do Brasil, e o Cabral e os outros portugueses todos falavam com o mesmo sotaque do Seu Oliveira, o dono da banca de jornal que fica embaixo do meu prédio, que é português...

– Falta de informação linguística e histórica – esclarece Irene. – As peças de teatro, filmes, programas e novelas de televisão que fazem Pedro Álvares Cabral falar com sotaque português moderno estão cometendo uma distorção histórica!

– E o que aconteceu? – pergunta Vera.

– Com o tempo, o português falado na Europa foi-se modificando, como é inevitável com todas as línguas vivas. Com um enorme oceano Atlântico a separar os dois continentes, os brasileiros não tinham como acompanhar aquelas mesmas transformações que iam acontecendo além-mar. O português da América também se modificou, mas num ritmo bem mais lento, e acabou conservando alguns aspectos da língua – fonéticos, sintáticos, morfológicos, lexicais etc. – que iam desaparecendo pouco a pouco do português europeu. A norma-padrão brasileira, até há algum tempo, tentava seguir as normas do português-padrão de Portugal – "macaquear a sintaxe lusíada", como disse Manuel Bandeira no seu poema "Evocação do Recife". Por isso, foi tratando de abandonar alguns daqueles aspectos arcaicos, que no entanto foram conservados pelas variedades não padrão. Foi necessária toda a grande revolução estética e ideológica do Modernismo brasileiro, no início do século XX, para que lentamente certos traços característicos do português do Brasil fossem sendo assumidos pela norma-padrão, oficial. Grandes escritores brasileiros como Manuel Bandeira, Mário de Andrade, Carlos Drummond de Andrade, Guimarães Rosa e outros fizeram questão de escrever numa língua literária mais brasileira e menos dependente das imposições dos gramáticos portugueses. A bem da verdade, desde o século XIX, já com os escritores românticos, havia este sentimento de valorizar os "brasileirismos" linguísticos. José de Alencar, autor d'*O Guarani* e de *Iracema*, queixava-se dos que diziam que ele "escrevia mal o português" justamente por assumir esta postura nacionalista.

Quem descobriu o quê?

– E onde entram os verbos do Camões? – pergunta Emília.

– Todos estes verbos iniciados com *a-*, e que são tão vivos nos nossos falares regionais, rurais, não padrão, nada têm de "errado" nem de "ignorante" – insiste Irene. – São, como já disse, *arcaísmos* linguísticos, que já pertenceram à norma literária clássica e depois "saíram de moda". A prova disso é sua presença tão abundante na epopeia camoniana, publicada em 1572, ou seja, apenas 72 anos depois do assim chamado "Descobrimento" do Brasil.

Sílvia franze a testa:

– Por que você disse "assim chamado" Descobrimento?

– Porque este termo me parece muito pouco apropriado para definir o fato histórico acontecido em 22 de abril de 1500 – responde Irene. – Coloco sempre "Descobrimento" entre aspas por duas razões. Primeira, pesquisas de historiadores têm mostrado que o Brasil não foi "descoberto" por acaso pela esquadra de Cabral num suposto "desvio de rota" quando ele ia para a Índia, mas que sua viagem fazia parte de um plano bem traçado de explorar terras sul-americanas, cuja existência já era conhecida antes...

– Já? – espanta-se Vera.

– Sim – confirma Irene. – O espanhol Vicente Yáñez Pinzón, por exemplo, esteve no litoral pernambucano em 1499, na região do Cabo de Santo Agostinho, bem pertinho do Recife atual.

– Quer dizer que poderíamos ter sido colonizados pela Espanha? – espanta-se Vera.

– Isso mesmo – responde Irene.

– E qual a segunda razão das aspas? – pergunta Emília.

– A segunda razão, que para mim é a mais importante, é a seguinte: por que falar do "Descobrimento" de uma terra que já era, há milênios, o lar de tantas nações indígenas diferentes? Só a história do branco é que conta? O Brasil não existia antes? Algumas lideranças indígenas conscientes falam, hoje em dia, de "invasão portuguesa", da mesma forma como aprendemos, nas aulas de História, que houve "invasões" holandesas e francesas...

– Puxa vida – deixa escapar Sílvia. – Além de modificar as aulas de português, vamos ter de mudar também nosso ensino de História!

História dos verbos com A-

– Voltando aos nosso verbos – retoma Irene –, eles têm uma história muito interessante. Havia em latim uma preposição *ad*, que deu origem à nossa própria preposição *a*. Ela tinha diversos sentidos, conforme a frase, entre os quais "perto de", "junto a", "em direção a", "até" etc. Como as demais preposições latinas, *ad* podia ser usada como um *prefixo* para formar novos verbos. Em muitos casos, ela perdia o *d* final, que era assimilado pela consoante seguinte: *ad + préndere = appréndere* ("aprender"); *ad + córrere = accórrere* ("acorrer"); *ad + flúere = afflúere* ("afluir") e assim por diante.

– E no português? – pergunta Vera.

– Na formação da língua portuguesa, este processo continuou, fazendo surgir uma grande quantidade de verbos que tinham este prefixo *a-*, sem que ficasse muito evidente por que ele estava ali, junto daquele verbo. Aconteceu o que a gente chama de *generalização*, que é quando uma regra deixa de ser específica para alguns casos e é empregada "a torto e a direito". A história da língua está cheia de casos de generalização...

– Por que Camões usou estes verbos que hoje são proibidos na língua literária padrão? – pergunta Sílvia.

– Na época posterior a Camões – responde Irene –, houve um grande esforço, por parte dos filólogos e literatos de Portugal, de estabelecer normas para a língua portuguesa culta, literária, aquela que devia ser o idioma oficial do reino e do império. Esta época coincide justamente com o momento mais importante dos empreendimentos marítimos portugueses: a presença de exploradores e colonos portugueses já é sentida em todos os pontos do planeta, tendo sido eles, aliás, os primeiros europeus a entrar em contato, por exemplo, com o Japão.

– É mesmo? – surpreende-se Emília. – Eu nunca soube disso.

– Pois fique sabendo agora – diz Irene. – Algumas palavras da língua japonesa moderna refletem este contato muito antigo com os primeiros navegadores portugueses. A palavra *arigatô* é derivada do português "obrigado", e o mesmo acontece com *pan*, que é "pão" em japonês.

– Quer dizer que nossa linguinha já foi importante assim? – admira-se Emília.

– Muito importante, sim senhora – responde Irene. – Antes que o francês se transformasse na língua mundial, no século XVIII, e o inglês, no século XIX, foi o português que desempenhou este papel. A partir da segunda metade do século XV ele já era falado nas regiões costeiras da África Ocidental. No século XVI, estava disseminado por todo o Oriente. Era tão importante que mesmo os navios de exploradores de outros países, holandeses, franceses e ingleses, levavam sempre uma ou mais pessoas que soubessem falar português, para estabelecer contato com os povos nativos, que usavam o português como língua de comunicação com os europeus...

– Estou de queixo caído... – confessa Emília.

– Tia, você estava dizendo que os filólogos de Portugal tentaram definir uma língua oficial... Como foi que isso atingiu os verbos começados com *a-*? – pergunta Vera.

– Nessa tentativa de definir uma língua oficial, os gramáticos decidiram eliminar da norma-padrão alguns daqueles verbos em *a-*, porque não correspondiam a nenhum verbo original latino nem guardavam os sentidos que a presença da preposição impunha. Foi assim que, no português clássico e moderno, já não encontramos mais *alumiar, aqueixar, alembrar...*

– Mas a lei não "colou" com o povo, não é? – arrisca Sílvia.

– Claro que não – responde Irene –, afinal, o povo, que na sua imensa maioria não sabia ler nem escrever e, portanto, não tinha acesso à norma oficial, padrão, conservou aqueles verbos, que chegaram até o Brasil na boca dos colonizadores e por aqui ficaram...

Quanto mais longe, mais arcaico

– A presença de aspectos *arcaicos* é comum a todas as línguas que foram transplantadas de um lugar para outro – prossegue Irene. – Existe até uma relação bastante interessante entre arcaísmo e distância geográfica: quanto mais distante de seu local de origem, mais arcaica permanece a língua. Assim acontece, por exemplo, com o francês falado no Canadá, que tem muitos aspectos do francês falado na França no século XVII. Também acontece com o inglês da Austrália e com o espanhol sul-americano...

– Quanto mais distante, mais arcaica... – repete Emília, anotando.

– Essa mesma relação faz com que a língua das zonas rurais seja mais arcaizante do que a língua das grandes cidades, onde as transformações sociais mais rápidas são acompanhadas no mesmo ritmo por transformações na variedade linguística. Quanto mais antiga a colonização de um lugar, mais traços arcaicos sobrevivem na sua língua. Por isso, o português do Nordeste brasileiro, primeira região a ser colonizada pelos portugueses, está muito mais próximo da língua falada por Cabral e por Camões do que o português de São Paulo, por exemplo. E a língua falada na zona rural nordestina é muito mais arcaica do que a falada nas grandes cidades da região.

Português do Brasil: uma língua conservadora

– Tia, além desses verbos começados em *a-*, que outros arcaísmos a gente pode encontrar no português não padrão?

– Muitos outros, Verinha – responde Irene. – Aos ouvidos desinformados podem parecer "erros". Vou dar três exemplos: *entonce*, *despois*, *escuitar*, tão comuns na fala dos "caipiras". Justamente por serem arcaísmos, estas formas estão mais próximas do latim do que as formas vigentes na norma-padrão de hoje. *Entonce* ("então") vem do latim *in tunce*. *Despois* ("depois") vem de *de ex post*. Repare como estas formas arcaicas do PNP se parecem com o espanhol: *entonces*, *después*.

– E *escuitar*? De onde vem? – pergunta Emília.

– *Escuitar* vem do latim *ascultare* – responde Irene. – A transformação de *-lt-* em *-it-* não é estranha ao português-padrão: o latim *multu-* resultou em *muito*. Esta forma latina é que explica a presença do L nas palavras *multidão*, *múltiplo*, *multicolorido*... Diga-se de passagem que *despois* e *escuitar* estão devidamente registrados n'*Os Lusíadas*...

– E no português-padrão, também temos arcaísmos? – pergunta Sílvia.

– E como! – responde Irene. – Muitos dos "erros" que os portugueses dizem que os brasileiros (mesmo os cultos e bem educados!) cometem não passam de sobrevivências de formas antigas, que podem ser encontradas em escritores portugueses dos séculos XV e XVI.

– Por exemplo? – interessa-se Vera.

– Uso da preposição *em* regendo verbos de movimento: *Vou no cinema*; *cheguei em casa*. A norma-padrão clássica pede a preposição *a*: *Vou ao cinema*; *cheguei a casa*. Mas o uso de *em* nestes casos aparece também n'*Os Lusíadas*.

– Que mais? – pergunta Emília.

– Uso da preposição *de* regendo o verbo *chamar* – responde Irene. – *Ele me chamou de ignorante!* A norma clássica diz: *Ele chamou-me ignorante!* Mas este uso aparece na obra de Frei Luís de Sousa, autor português do século XVI-XVII.

– Ainda bem, porque *"Ele chamou-me ignorante!"* é de uma cafonice sem igual! – comenta Emília.

– Pois é – retoma Irene –, muitos outros aspectos do português brasileiro que são classificados de "brasileirismos", como se fossem pura invenção nossa, não passam, mais uma vez, de heranças bem conservadas de uma língua portuguesa que se falou há muito tempo! É o caso, por exemplo, do nosso uso tão comum do gerúndio em frases do tipo: *estou falando*, *estou indo*, *estou querendo*, onde os portugueses dizem *estou a falar*, *a ir*, *a querer*. Ora, Camões *só usa* a forma com gerúndio, o mesmo acontecendo com outros escritores de sua época. A forma *estou a falar* é que é uma inovação bem recente no português de Portugal.

– De onde se conclui... – diz Emília.

– Que não devemos acusar ninguém de estar falando "errado" quando simplesmente está falando "antigo" – arremata Irene.

– E por falar em antigo – diz Sílvia –, estou me lembrando com saudades do bolo de laranja que a Eulália fez hoje à tarde... Bem que a gente podia ir lá e comer um pedaço antes que ele fique arcaico...

Sugestão aceita, saem todas da "escolinha".

ACEITA-SE ROUPAS NOVAS!

– função da partícula SE como verdadeiro sujeito de oração –

Emília, Vera e Sílvia dormem no mesmo quarto. Como estão de férias e as conversas com Irene se prolongam noite adentro, elas aproveitam os dias frios do inverno para dormir até mais tarde. Mesmo quando despertam cedo, ficam deitadas, conversando, até pelo menos as dez horas da manhã.

Hoje Vera é a primeira a acordar. Espreguiça-se debaixo do cobertor grosso, pisca os olhos várias vezes, consulta o relógio de pulso deixado sobre o criado-mudo. Dez e meia quase! "Hoje a gente exagerou", avalia. "Difícil vai ser me acostumar de novo ao horário de trabalho", pensa ela, que tem de estar todos os dias às sete horas na escola para a primeira aula. "Vou acordar essas preguiçosas!"

Levanta-se, vai até a janela e abre as cortinas. Uma luz intensa invade o quarto. Vera admira o azul limpo do céu. Ouve os primeiros resmungos das colegas.

– Dá para apagar este sol um minutinho, por favor? – pede Emília, escondendo-se sob o cobertor.

Sílvia boceja longamente, sorri para Vera e diz:

– Tive um sonho tão gostoso... Acho que foi por causa da aula da Irene de ontem, sobre os arcaísmos...

Emília, que não perde chance de fazer piada, comenta, a voz abafada pelo cobertor:

– Sonhou que era uma mulher das cavernas cabeluda e piolhenta? Isso é que é um sonho arcaico para mim...

– Não, sua boba, sonhei com o Descobrimento do Brasil... – protesta Sílvia.

– E quem você era? A mulher do Cabral que também era amante do Pero Vaz de Caminha? – graceja Emília de novo, pondo a cabeça para fora.

Sílvia atira um travesseiro na direção de Emília, que evita o golpe encolhendo-se novamente sob o cobertor.

Vera está de pé junto a janela. Quando se dirige de volta à sua cama, percebe alguma coisa no chão do quarto, sobre o tapete junto à porta. É um envelope. Vai até lá e o recolhe.

– Carta para nós – diz ela, sentando-se na beirada da cama de Emília e lendo o sobrescrito. As outras duas se interessam e aproximam-se dela.

– É da tia Irene.

– E o que diz? – pergunta Emília.

Vera lê:

– "Bom-dia, aqui fala a sua tia! Eu e a Eulália fomos a Campinas fazer comprinhas e procurar uns livros que estou precisando. Esperei até as nove e meia para ver se as dondocas acordavam para irem com a gente, mas como o quarto estava mais silencioso que um túmulo, fomos sozinhas. Voltamos à tardinha. Beijos e queijos, Irene."

– Que pena – lamenta Sílvia –, ia ser divertido viajar até Campinas com elas.

Pouco tempo depois, entram as três na cozinha para o café da manhã.

– Que gracinhas que elas são, não? – comenta Emília. – Deixaram a mesa prontinha para nós.

Sentam-se. Quando Vera vai pegar a xícara para servir-se de café, percebe que sob o pires há um pequeno papel azul dobrado.

– Mais um bilhetinho, gente! – diz ela, desdobrando-o.

Neste instante, Emília exclama:

– Eu também tenho um!

– E eu também – diz Sílvia, mostrando um cartão cor-de-rosa que estava sob sua xícara.

– O que diz o seu, Vera? – pergunta Emília.

– Diz assim: *"Vendem-se casas* – quem vende o quê?"

– Que esquisito – comenta Emília. – E o seu, Sílvia?

– O meu diz: "Se quem tem autoridade para reprovar um aluno é o professor, qual o sujeito da seguinte frase: *Na escola, reprovam-se muitos alunos por falarem uma variedade não padrão de português*?" – responde Sílvia.

– Pois no meu está escrito assim: "Você já ouviu falar de galinhas suicidas? Então, qual o sujeito da seguinte oração: *Nesta granja, abatem-se mil galinhas diariamente*?"

Vera sorri e diz:

– Essa tia Irene tem cada uma! Só falta agora a gente cortar o bolo e encontrar mais um bilhete dentro...

Não é bem assim que acontece, mas ela tem razão: há um novo bilhete, só que dobradinho sob a pequena toalha branca que cobre a cesta de pães. É Sílvia quem o encontra e lê em voz alta:

– "Para vocês não ficarem aí sem ter o que fazer, quero propor um joguinho. Na verdade, uma preparação para nosso bate-papo de hoje à noite. Quero que cada uma de vocês reflita sobre as perguntas que já devem ter encontrado debaixo das xícaras. Atenção! Não é para responder às perguntas, é para refletir sobre elas! Amor, Irene".

– Eu conheço bem o nome desse "joguinho" – suspira Emília. – Ele se chama "análise sintática", mais um desses nomes de doença que a gente tem que decorar... Odeio, detesto, abomino, tenho asco, nojo, antipatia, aversão e ojeriza por análise sintática.

– Calma, Emília – diz Vera. – Acho que não é nada disso... Se conheço bem a tia Irene, o que ela quer é fazer a gente pensar, encontrar um jeito novo de olhar as coisas...

– Também acho – diz Sílvia. – A Irene não ia fazer a gente perder tempo com uma análise sintática tradicional...

– Tomara, viu? – é a vez de Emília. – Quando me pedem para encontrar sujeito, objeto, predicado, adjunto e não sei o que mais, tenho vontade de sair correndo e fugir para a Patagônia!

– Eu gosto de análise sintática – confessa Vera. – Acho que ela ajuda a gente a entender uma porção de coisas. E é muito útil quando você tem de aprender uma língua estrangeira. O único problema é a maneira como se ensina análise sintática na escola. Uma coisa seca, sem humor, com exemplos desinteressantes e, principalmente, sem explicar para que serve... Quem sabe a tia Irene tem alguma proposta nova...

– Não sei não – diz Emília. – Tenho verdadeiro trauma com análise sintática. Acho que vou esperar a Sílvia se formar para depois cuidar de mim... Me aceita como sua cliente?

Sílvia sorri:

– Claro que aceito. Aliás, podemos começar já, se você topar ser minha cobaia...

Todas sorriem.

Depois do café, Sílvia diz que vai arrumar a cozinha. Vera se dispõe a ajudá-la.

– Mais tarde a gente podia preparar o almoço, não é? – propõe

Sílvia. – Afinal, a gente vem explorando a Eulália e a Irene desde que chegou aqui.

– E elas deixam a gente fazer alguma coisa? – replica Vera, enxugando a louça. – Fazem questão de dar um tratamento de hotel cinco estrelas...

– Façam o almoço que quiserem, mas não contem comigo – avisa Emília, guardando as xícaras no aparador.

– Nós já sabemos que você não sabe nem fritar um ovo – diz Vera.

– Fritar um ovo? Eu não sei nem colocar água para ferver! – corrige Emília.

– E o que você vai fazer? – quer saber Vera.

– Refletir sobre a minha pergunta, é claro – responde Emília, afetando muita responsabilidade. – Afinal, não é esse o nosso dever de casa?

Ela limpa as mãos no papel-toalha e diz:

– Vou aproveitar que a Irene não está em casa para escarafunchar um pouco o escritório dela. Aposto que tem livros interessantíssimos por lá...

– Eu vou passear um pouco pelo quintal – diz Vera.

– Vamos juntas – completa Sílvia. – Quem sabe a gente encontra na horta alguma coisa gostosa para fazer uma bela salada?

Emília deixa as amigas ocupadas na cozinha. Vai até o escritório de Irene. É um amplo quarto, com todas as paredes ocupadas, de alto a baixo, por estantes abarrotadas de livros. No centro do cômodo, uma grande mesa de trabalho, com muito papel espalhado, livros abertos, outros empilhados. Junto à mesa grande, outra menor, que sustenta o computador de Irene.

A visão da máquina acende uma luzinha na imaginação de Emília. "Será?", pensa, sem querer confessar a si mesma o que tem em mente. "Ia ser ótimo", diverte-se ela. "Afinal, de cozinha não entendo mesmo nada, mas de computador..."

Quem é mesmo esse sujeito?

Eulália e Irene voltam perto das sete horas da noite. Vera e Sílvia recebem-nas com um delicioso *minestrone*. Emília apressa-se em dizer que também contribuiu para o jantar, cortando o pão em rodelas.

– Tarefa imprescindível – diz Irene, sorrindo –, afinal, minestrone sem pão não tem a menor graça.

Emília vai tomando sua sopa calada, enquanto as outras conversam animadamente. Percebendo o inusitado silêncio da colega sempre tagarela, Vera pergunta:

– Que deu em você, Emília? A sopa queimou sua língua?

– Não – responde ela, calma. – É que ainda estou pensando naquelas perguntas que a Irene deixou para a gente refletir...

– Ah, é mesmo, quase ia esquecendo – diz Irene. – Fizeram a tarefinha de vocês?

– Você disse que era para "refletir", não para "responder", não é? – certifica-se Vera.

– Isso mesmo – confirma Irene.

– Nós duas conversamos bastante sobre as nossas perguntas – diz Sílvia. – A Emília eu não sei, passou o dia toda meio misteriosa, escondida.

Emília faz-se de desentendida e continua a comer.

– Pois eu estou ansiosa para ouvir as reflexões de vocês – confessa Irene.

– Depois do jantar, não é, tia? Primeiro vamos comer sossegadas – diz Vera.

Mais tarde, por volta das nove e meia, reúnem-se as quatro na "escolinha" para mais um serão.

Irene abre a conversa dizendo:

– Hoje vamos nos concentrar numa questão que ainda não foi definitivamente resolvida pelos gramáticos e que, por isso, complica um pouco a vida de quem tem de ensinar e aprender a língua portuguesa. O povo, é claro, já deu a sua solução, e neste caso estou me referindo a todos os falantes da língua portuguesa do Brasil, tanto nas suas variedades cultas quanto nas suas variedades não padrão.

Ela faz uma pequena pausa e retoma:

– Quero falar com vocês da velha disputa entre *"Vendem-se casas"* e *"Vende-se casas"*. Embora as gramáticas e os livros didáticos (e tantos professores!) insistam ainda em afirmar que a primeira forma, com verbo no plural, é que é a "certa", a grande, imensa, esmagadora maioria das pessoas só usa a segunda forma, com verbo no singular.

– Erro comum? – arrisca Sílvia.

– Nada disso – responde Irene –, para mim se trata, mais uma vez, de um "acerto comum" do povo. Vamos tentar descobrir por que essa insistência de tantos milhões de pessoas em "errar" sempre e colocar o verbo no singular?

Irene se levanta de seu lugar na meia-lua formada pelas cinco cadeiras alinhadas, dirige-se à lousa e enquanto escreve vai falando:

– Nosso material de trabalho esta noite vai ser uma frase bem simples, bobinha mesmo. Aqui vai ela...

(1) Nessa padaria <u>se come</u> uns docinhos ótimos!

– Tia, pela gramática tradicional essa frase está errada – diz Vera.

– Por quê? – pergunta Irene.

– Porque o *sujeito* do verbo "comer" neste caso é "uns docinhos ótimos" e, estando o sujeito no plural, também o verbo deve estar no plural – responde a sobrinha.

– Vamos ver então... – diz Irene, voltando a escrever na lousa.

(2) Nessa padaria <u>se comem</u> uns docinhos ótimos!

– Só que, como eu já disse, praticamente ninguém respeita mais esta regra – retoma Irene –, e a frase (1) tem mais probabilidade de ser enunciada no Brasil do que a frase (2). E existem algumas explicações para isso.

É a deixa que Emília esperava para pôr as asinhas de fora:

– Posso arriscar uma dessas explicações, Irene? – pergunta ela.

– Claro que pode – responde Irene.

Emília pigarreia um pouco, passa a língua pelos lábios e começa:

– Eu acho que a primeira explicação que a gente pode oferecer tem a ver com a *sintaxe*, quer dizer, com a organização das palavras na frase, com a combinação dos elementos que compõem uma oração.

– Era justamente por aí que eu ia começar, Emília – comenta Irene, surpresa. – Continue, por favor.

– Na língua portuguesa, como em muitas outras, a ordem sintática natural, normal, espontânea é sujeito-verbo-objeto, não é mesmo? – diz a estudante de Pedagogia bem pausadamente, como quem escolhe com cuidado as palavras.

– É sim, Emília – confirma Irene. – Os linguistas dizem que esta é a "ordem canônica" do português.

– Pois então – retoma Emília –, quando um falante de português vai dizer alguma coisa, a primeira combinação que lhe ocorre é esta: "Ivo viu a uva", "Eu amo você", "Pedro quer doces", "Mariana não comprou o livro", "Você tem medo?"... Tudo na "ordem canônica", como você disse...

– As línguas que se organizam desta maneira, como o português, são chamadas línguas svo, sujeito-verbo-objeto – explica Irene. – Existem línguas que se organizam de outros modos: sov e vso.

– E o que tem a ver esse tal de svo com os docinhos da nossa padaria? – pergunta Vera, disposta a testar até onde vai a "sabedoria" repentina da colega.

– Muito simples – responde Emília, e levantando-se vai até a lousa e dirigindo-se a Irene pergunta: – Posso?

– Por favor – concede Irene.

Novo pigarro, Emília retoma:

– A gramática tradicional, como a Vera bem lembrou, analisa a frase (2) da seguinte maneira...

E ela rabisca a giz coisas na lousa:

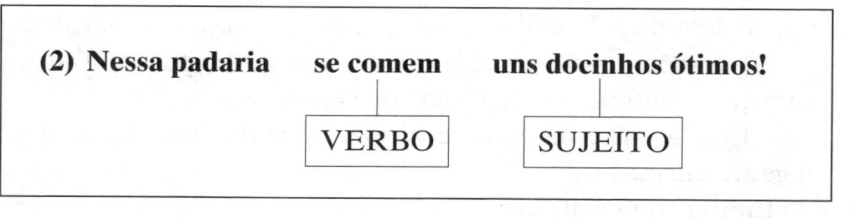

– De acordo com essa análise – prossegue Emília –, o que acontece na frase é uma *inversão do sujeito*, ou seja, em vez de estar na ordem normal sujeito-verbo, a frase está invertida, verbo-sujeito.

– A inversão do sujeito – esclarece Irene – é um recurso que torna a frase mais elegante, além de dar maior ênfase à ação praticada do que a quem a praticou. É muito empregada na literatura, nos discursos orais mais elaborados (conferências, sermões, pronunciamentos políticos), enfim, numa linguagem menos corriqueira, menos quotidiana.

– Vamos ver agora como é que a maioria dos brasileiros analisa, intuitivamente, é claro, a frase (1) – diz Emília, voltando a escrever na lousa:

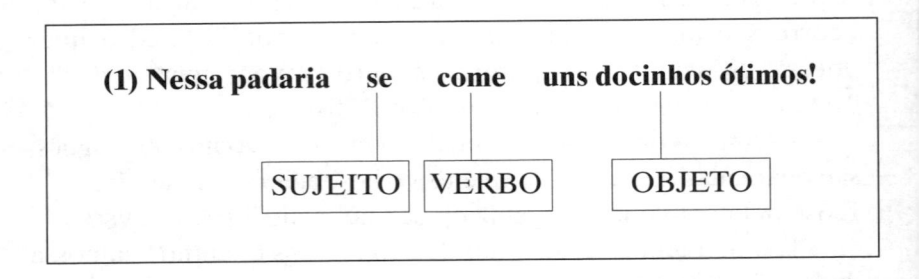

(1) Nessa padaria se come **uns docinhos ótimos!**

SUJEITO | VERBO | OBJETO

– O que é que logo chama a atenção nessa análise? – pergunta Emília em tom professoral, e ela mesma responde: – O que logo chama a atenção nesta análise é que ela corresponde exatamente àquela "ordem canônica" da sintaxe do português: svo. Intuitivamente, portanto, o falante enquadra este enunciado dentro do esquema padrão da língua. Por isso é que esta frase (1) soa muito mais "natural" do que a frase (2) com seu suposto sujeito invertido.

Neste momento, Irene compreende o que está acontecendo e pisca um olho matreiro para Emília, que capta o sinal e o interpreta como "pode continuar fazendo as outras duas de tolas, sua danadinha".

Sílvia, com uma curiosidade científica que supera sua surpresa pela repentina "inteligência" da colega, pergunta:

– Esta análise me parece ótima... Por que não é assim que a gente ensina?

Emília volta a atacar:

– Eu consultei uns livros na biblioteca da Irene hoje à tarde e cheguei à seguinte conclusão: o grande problema para os gramáticos é admitir que a palavra *se* na frase (1) é um sujeito.

– Por quê? – indaga Sílvia.

– Porque, dizem eles, o português procede do latim e em latim *se* não podia ser sujeito, mas somente objeto – responde Emília com voz de desdém. – Vocês aguentam uma explicação bolorenta como essa? A língua portuguesa é falada há mais de mil anos, já deixou de ser latim há séculos, mas eles insistem em querer vestir os fenômenos linguísticos do português com as mesmas roupas mofadas e puídas usadas pelo latim. Só que não dá: às vezes fica apertado, fica desconfortável, outras vezes fica frouxo, a roupa não se segura e cai... Já não seria a hora de darmos ao português um guarda-roupas novo, só para ele, em vez de obrigá-lo a usar os ternos esburacados do defunto latim?

– Concordo plenamente – intervém Irene. – É claro que conhecer as origens da língua é muito importante, e eu mesma o tempo todo estou indo beber nas fontes latinas. Mas daí a querer proibir e condenar fenômenos novos simplesmente porque não existiam em latim é uma atitude no mínimo obscurantista e autoritária.

Emília volta a ocupar seu assento, fazendo o ar mais sonso de que é capaz. Irene prossegue:

– No português do Brasil, como a Emília acabou de demonstrar melhor do que eu seria capaz, esta palavrinha *se* em enunciados como o que estamos estudando ocupa o lugar do sujeito na ordem canônica da língua e exerce plenamente esta função. Ele corresponde a outros sujeitos "neutros" ou "indeterminados" que existem em tantas outras línguas: *on* (francês), *one* (em inglês), *uno* (espanhol), *man* (alemão), e é por isso que os tradutores, ao encontrarem uma destas palavrinhas num texto estrangeiro, tratam logo de traduzi-la pelo nosso *se*.

O estranho caso das galinhas suicidas

– Muito bem, tia, a Emília deve ter comido alguma coisa que fez "mal" e teve um acesso repentino de inteligência, deu o *showzinho* dela e falou da explicação *sintática* para o uso do verbo no plural – diz Vera, olhando com ar desconfiado para a amiga, sentada a seu lado. – Mas você disse que pode haver outro tipo de explicação.

– É verdade – confirma Irene. – Podemos tentar uma explicação de outro tipo, uma explicação *semântica*, que tem a ver principalmente com o significado dos verbos que se encontram em enunciados onde aparece o sujeito *se*. Vocês também não acham, como eu e a Emília, que a frase (1), que a gramática classifica de "errada", faz muito mais sentido do que a frase (2)?

Irene de novo vai até a lousa:

– É fácil comprovar isso. Se na frase (2) o que acontece é uma *inversão do sujeito*, vamos colocá-lo então no seu devido lugar na ordem canônica para ver o que acontece:

> (3) Nessa padaria uns docinhos ótimos se comem!

– Vejam como ficou estranho! – apressa-se em dizer Emília. – Os docinhos "se comem"? Docinho tem boca para comer a si mesmo? Não parece uma frase sem lógica, surrealista?

– Parece – responde Vera –, tão surrealista quanto esse seu repentino amor pela análise sintática.

Irene finge que não ouviu o comentário da sobrinha e distribui umas folhas impressas:

– Vamos fazer o mesmo teste agora com outras frases que a gramática consideraria "corretas" mas que, com o sujeito e o verbo nas posições canônicas, assumem um significado até cômico, quando não trágico.

Sílvia e Vera observam o quadro de orações impresso na folha:

Quadro 21

> Nesta granja, abatem-se mil galinhas diariamente.
> Ainda se procuram os criminosos responsáveis pelo grande assalto de ontem.
> Do alto daquele morro se avistam os telhados das casas da velha cidade.
> Nesta escola ensinam-se as línguas mais faladas do mundo.
> Pedem-se mais verbas para a educação.
> Nos campos de concentração nazistas se exterminaram milhões de judeus.
> A partir do século XV descobriram-se novos continentes.
> Diariamente destroem-se grandes porções da floresta amazônica.

Emília tem um súbito acesso de riso, e enquanto ri exclama:

– Gente, que coisa mais divertida! "Mil galinhas diariamente se abatem"? São galinhas suicidas mesmo, que caminham tranquilamente até o matadouro, pegam a faca e se degolam a si mesmas?

Vera também se diverte:

– "Os criminosos se procuram?" Por quê? Estão perdidos, não se conhecem, têm saudades uns dos outros?

– E essa aqui: "Os telhados se avistam" – comenta Sílvia. – Desde quando telhado tem olho para "avistar" o outro?

– Eu adorei essa: "As línguas se ensinam" – retoma Emília. – Você consegue imaginar uma língua andando solta por aí, vestida de professora e dando aula a outras línguas?

– E não é trágico imaginar que "milhões de judeus se exterminaram", quando sabemos muito bem que não foi nada disso? – pergunta Irene.

– Dá para imaginar um continente todo coberto por uma grossa colcha de lã e "se descobrindo" com uma mãozinha preguiçosa? – diz Vera.

– E a floresta amazônica destruindo-se a si mesma? – é Sílvia agora. – Certamente a coitada se cansou de sofrer tanto nas mãos de seus exploradores.

– Acho que ninguém nunca pensou em aplicar este teste nos gramáticos tradicionalistas – diz Vera, sorrindo. – Provavelmente mudariam de opinião.

Todas se divertem com a situação. Irene retoma sua explicação:

– Estas frases são tão ilógicas quanto, por exemplo: "Tijolos macios devoraram o tático nariz da jabuticaba óssea". Frases gramaticalmente bem construídas, mas que não fazem sentido.

Não me venha falar em equivalências!

– Mas os tradicionalistas têm um trunfo escondido na manga – diz Vera, de repente. – Eles dizem que estas frases estão corretas com o verbo no plural porque equivalem a outras frases. Assim, por exemplo: "Abatem-se mil galinhas diariamente" equivaleria a "Mil galinhas *são abatidas* diariamente". Eu não mexi nos livros da tia

Irene – e ela lança um olhar agudo na direção de Emília –, mas me lembro muito bem das minhas aulas de gramática e lá eu aprendi que, segundo a terminologia tradicional...

– As tais roupas velhas do latim... – debocha Emília.

– Segundo a terminologia tradicional – retoma Vera em tom mais elevado –, estas duas frases estão na *voz passiva*, quer dizer, elas expressam uma ação que foi *sofrida* pelo sujeito da oração. Quando a ação é *praticada* pelo sujeito, a gente diz que a frase está na *voz ativa*. E esta mesma terminologia tradicional diz que o *se* de todas essas frases é uma *partícula apassivadora* e que ela serve para criar uma *oração passiva sintética*, em oposição à *oração passiva analítica*, formada com o verbo auxiliar *ser* seguido do particípio passado do verbo principal... Neste modo de ver as coisas, portanto, existe um sinal de igual entre os dois verbos...

Agora é Vera quem vai até a lousa e escreve:

abatem-se = são abatidas

– Por isso é que os verbos teriam que estar no plural em ambas as situações – conclui Sílvia, enquanto Vera retoma seu lugar e põe meio palmo de língua para Emília como quem diz: "Eu também sei das coisas, meu bem". Mas Emília está disposta a brilhar esta noite e logo intervém:

– Essa teoria é muito bonita, cheia de nomezinhos complicados que dão a ela um ar de coisa importante, e nela todas as peças se encaixam direitinho umas nas outras. Mas esse encaixe só dá certo na teoria, numa língua idealizada, falada não se sabe exatamente por que povo de que planeta distante. Não é mesmo, Irene?

– Mesmíssimo, Emília – responde Irene. – Quando confrontada com a língua viva, falada todos os dias, essa teoria apresenta uma série de rasgões causados pelos choques com a realidade.

– Como assim, Irene? – pergunta Sílvia.

– Bom, para começar, não existe "equivalência" nenhuma entre aquelas duas formas. Como bem disse a Verinha, essa teoria é tradicionalista, e eu estou aqui mesmo disposta a mostrar as coisas de um modo diferente e, se Deus me ajudar, mais lógico e coerente.

Aliás, essa história de equivalência é sempre complicada, e quando alguém vem me falar de "sinônimos" eu fico logo toda arrepiada.

– E por quê? – surpreende-se Vera.

– Porque cada vez que um falante da língua escolhe dizer X e não Y, é porque nesta escolha existe um *intuito* bem definido, é uma opção que foi feita por algum motivo. Por isso é que a língua oferece tantos recursos de expressão diferentes, a começar pelo vocabulário, que está sempre crescendo. Na forma de organizar os elementos de uma frase também existem estas opções, mas isso não quer dizer que sejam "maneiras diferentes de dizer a mesma coisa"...

– Por isso não podemos considerar "Abate-se mil galinhas" uma forma *passiva*, Vera – diz Emília em tom condescendente –, porque ao usar esta forma de expressão o falante está querendo enfatizar o *ato* de abater, a *ação* de sacrificar as aves, deixando marcado que *alguém faz isso*, mesmo que esse alguém não seja nomeado, o que está expresso pelo sujeito, sujeitíssimo, *se*.

– Isso mesmo, Emília – concorda Irene. – Já em "Mil galinhas são abatidas" estamos diante de uma forma realmente *passiva*, na qual se acentua o destino a que as galinhas estão sujeitas, o sofrimento que lhes é imposto. Sim, porque *passivo* vem do latim *passio*, *passionis*, que significa "sofrimento, padecimento". É daí que vem a nossa "paixão", no sentido religioso (os sofrimentos de Cristo) e no sentido afetivo (estar apaixonado é sofrer de amor...).

– Se os tradicionalistas dizem que as duas formas são "equivalentes" é porque podemos substituir uma pela outra, não é? – sugere Sílvia. – Será que essa substituição acontece sem problemas?

– Faça você mesma o teste – propõe Irene. – Substitua a nossa frase (1) pela sua forma *passiva analítica* e veja no que dá.

Sílvia medita uns instantes e depois diz:

– "Nessa padaria são comidos uns docinhos ótimos!"

– Correta gramaticalmente – avalia Vera.

– Sim – concorda Irene –, mas como soa artificial, dura, pesada esta frase. Imagine o clássico cartaz "Vende-se casas" escrito "São vendidas casas". A frase perde totalmente seu efeito de comunicação imediata, comercial.

– Aliás, Irene, se você me permite – de novo Emília com seu

ar de especialista –, eu encontrei num dos seus livros um trecho muito interessante a esse respeito. Posso ler?

– Por favor – concede Irene –, mas primeiro diga o nome do santo e onde foi feito o milagre.

– O livro se chama *Dificuldades da língua portuguesa* – diz Emília, consultando suas anotações –, e o autor é Manuel Said Ali.

– Said Ali é um dos mais importantes filólogos brasileiros, profundo conhecedor da nossa língua – diz Irene. – Morreu há mais de quarenta anos, mas suas lições são válidas até hoje. O que diz ele sobre o nosso assunto, Emília?

Emília lê:

> "*Aluga-se esta casa* e *esta casa é alugada* exprimem dois pensamentos, diferentes na forma e no sentido. Há um meio muito simples de verificar isto. Coloque-se na frente de um prédio um escrito com a primeira das frases, na frente de outro ponha-se o escrito contendo os dizeres *esta casa é alugada*. Os pretendentes sem dúvida encaminham-se unicamente para uma das casas, convencidos de que a outra já está tomada. O anúncio desta parecerá supérfluo, interessando apenas aos supostos moradores, que talvez queiram significar não serem eles os proprietários. Se o dono do prédio completar, no sentido hipergramatical, a sua tabuleta deste modo: *esta casa é alugada por alguém*, não se perceberá a necessidade da declaração e os transeuntes desconfiarão da sanidade mental de quem tal escrito expõe ao público".

– Que bom saber que a minha sanidade mental está garantida! – exclama Irene. – Vejam só... Said Ali escreveu isso num livro que foi publicado pela primeira vez em 1908! Lá ele propõe considerarmos *se* o sujeito da oração, mas a força da gramática tradicional é tamanha que até hoje somos obrigados a fingir que as coisas não são assim.

Despindo múmias e catando feijão

Irene retoma:

– Juntando nossas três explicações – a manutenção da "ordem canônica" SVO da língua, a ausência de *sentido* das frases com verbo no plural e a *intenção* que governa as escolhas do falante – é que podemos dizer que:

1°) o pronome *se* em frases deste tipo não é uma "partícula apassivadora", mas sim o *sujeito* da oração, e por estar no singular, o verbo também deve estar no singular;

2°) consequentemente, o verbo no plural torna a frase incoerente, deixa-a sem sentido, *ilógica*;

3°) frases deste tipo não estão na "voz passiva", mas sim na *voz ativa* porque correspondem a uma clara *intenção* da parte do falante de enfatizar a *ação* praticada.

– Uma explicação *sintática*, uma explicação *semântica*, e uma explicação *pragmática* – resume Emília, para espanto cada vez maior de Vera e de Sílvia.

– Infelizmente – lamenta Irene –, ainda há muita gente que insiste em vestir a nossa linda língua portuguesa do Brasil com aquelas vestes puídas, verdadeiras ataduras de múmia (mais de mil anos, lembrou a Emília!) que envolvem o latim. Gramáticos, professores, revisores ainda nos atacam com aquelas regras sem sentido.

– Como você propõe que a gente classifique então o *se*? – pergunta Vera.

– Talvez o mais simples e coerente fosse reconhecer neste *se* a mesma função que lhe é atribuída pela gramática tradicional em outras frases construídas com verbos que não pedem objeto:

- Chora-se, grita-se, esperneia-se, mas não se resolve nada!
- No Brasil, trabalha-se muito e ganha-se pouco.
- Vive-se feliz quando se ama

– E como a gramática classifica o *se* nestes casos? – pergunta Sílvia.

– Ela diz que o *se*, aqui, é um *índice de indeterminação do sujeito* –

responde Irene. – Poderíamos resolver toda a questão dizendo que é simplesmente um pronome pessoal usado para indicar um *sujeito indeterminado*.

– Apoiado! – exclama Emília.

– Vejam só uma coisa... – retoma Irene. – Durante milênios se acreditou que a Terra era plana e que o Sol e os demais astros giravam em torno dela. Isso era uma crença, uma lei e um dogma: quem o contestasse era perseguido, condenado e até queimado em fogueira (veja-se as histórias de Copérnico, Galileu e Giordano Bruno). A ciência, porém, acabou provando que aquela concepção estava errada. Mas ela imperou por tantos séculos que até hoje um terço dos franceses acreditam que a Terra permanece imóvel no centro do sistema solar!

– Não acredito! – surpreende-se Vera. – Logo os franceses!

– Pois é uma estatística perfeitamente confiável, elaborada por institutos de pesquisa muito sérios da França – confirma Irene. – Essa história, para mim, é muito parecida com a dos gramáticos que ainda insistem no dogma que diz que *se* não pode ser sujeito e que por isso condenam à fogueira da reprovação todos aqueles que tentam seguir outro caminho. Eu mesma já tive de brigar muito com revisores de editoras e revistas que tentaram "corrigir" livros e artigos meus em que apareciam frases como "Aluga-se casas"... Graças a Deus, contamos com aliados importantes...

– Ah, sim? E quem são? – pergunta Sílvia.

– Um deles é João Cabral de Melo Neto – responde Irene.– No seu poema "Catar feijão", ele nos ensina:

> Catar feijão se limita com escrever:
> *joga-se os grãos* na água do alguidar
> e as palavras na da folha de papel;
> e depois, joga-se fora o que boiar.

– Que bonito – comenta Vera.

– João Cabral de Melo Neto é considerado um dos maiores poetas da nossa língua. Além disso, era membro da Academia

Brasileira de Letras, uma instituição cujo objetivo principal é supostamente definir as regras do "bom português" e zelar por elas. Ora, se ele pôde escrever "joga-se os grãos", como levar a sério aqueles ranzinzas que ainda teimam em nos "corrigir"?

– Vamos deixar de ser *passivas* então e fazer valer a nossa *voz ativa*! – exclama Emília, entusiasmada.

Irene aplaude, e é acompanhada por Sílvia e Vera.

– Agora, cama! – decreta a professora. – Chega de *atividade* por hoje e vamos nos entregar *passivamente* ao nosso mais que merecido sono!

A BRUXA ESTÁ SOLTA!
– fenômenos decorrentes da analogia –

Desvendando o mistério

Na manhã seguinte, quando desperta, Vera percebe que a cama de Emília está vazia e que Sílvia está se espreguiçando como quem acaba de acordar.

– Onde será que está a Emília? – pergunta-se Vera em voz alta.

– Não tenho ideia – responde Sílvia, antes de um longo bocejo.

– Eu ainda não consigo acreditar no que aconteceu ontem... – diz Vera.

– Acreditar no quê?

– Ora, Sílvia... Vai me dizer que você achou normal a Emília de repente começar a entender tanto de linguística quanto a tia Irene e ter todas aquelas ideias sobre o pronome *se*, a voz passiva e tudo mais?

– Bem... normal, normal, não... Mas vai ver que de repente era um assunto que ela já tinha estudado antes, sei lá... – tenta explicar Sílvia. – Ou então, você está com ciúmes, porque ela roubou a cena e ganhou tantos elogios da *sua* tia.

– Muito me admira, você, estudante de Psicologia, se sair com uma teoria tão mixuruca e vulgar... – contra-ataca Vera. – Eu, com ciúmes? E logo de quem? Da tonta da Emília...

Depois de uma pequena pausa, ela retoma:

– Tenho certeza que nessa história tem dente de coelho...

– Para dizer a verdade – diz Sílvia –, eu ontem percebi uma coisa meio estranha...

– Ah, foi? O quê? – anima-se Vera.

– Me pareceu que até determinado momento da aula, a Irene também estava surpresa com a súbita "iluminação" da Emília – responde Sílvia. – Mas de repente, por alguma razão, eu senti que surgiu uma cumplicidade entre elas... Aliás, me lembro bem de ter visto a Irene dar uma piscadinha rápida para a Emília...

– Então não é loucura minha? Graças a Deus! – alivia-se Vera. – Mas eu não consigo imaginar o que foi que aconteceu...

– A Emília ontem passou a tarde toda trancada na biblioteca da Irene, enquanto eu e você cuidávamos da casa, do almoço e do jantar – recorda Vera. – Pode ser que ela tenha aprontado alguma coisa por lá Afinal, ela até citou um livro que encontrou na estante da sua tia.

Vera se detém alguns instantes para meditar. De repente, sorri, como se alguma ideia houvesse surgido em sua mente.

– Hum... É isso mesmo... Como foi que não pensei nisso antes?

– Que foi? – interessa-se Sílvia. – Conseguiu descobrir o mistério?

– Acho que sim... – responde Vera, e conta a Sílvia a ideia que lhe ocorreu.

Mais tarde, depois do almoço, estão todas à mesa tomando um cafezinho. Eulália e Irene se levantam e se retiram para a sala. É o momento que Vera esperava. Com ar sério volta-se para Emília e lhe pergunta:

– Emília, ontem, no final da aula, você disse que a classificação do pronome *se* como sujeito da oração tinha três explicações possíveis, de três tipos diferentes, não foi?

– Foi... ? – responde Emília, apanhada de surpresa, num tom que fica a meio caminho entre uma pergunta e uma resposta.

– Foi – confirma Sílvia. – Eu até anotei: "uma explicação *sintática*, uma explicação *semântica*, e uma explicação *pragmática*".

– Pois é – retoma Vera. – Foi justamente essa última palavra que eu não entendi. Afinal, foi você quem usou, e não a tia Irene.

Emília sorve um longo gole de café, temendo que Vera lhe faça uma certa pergunta. Mas Vera não vai perder a chance:

– O que você quis dizer exatamente com "explicação *pragmática*"?

Emília depõe a xícara sobre o pires. Sílvia percebe que ela está nervosa. Até empalideceu um pouco.

– Bom, é, pragmático, você sabe... é assim quando... bem, tem a ver com... é mais ou menos o mesmo que...

– Sim? – incentiva-a Vera, firmando bem o olhar no rosto da amiga.

Emília engole em seco. Sílvia tem vontade de rir, mas controla-se. Vera exige:

– E então, Emília? O que você entende por uma "explicação *pragmática*"?

– Prag... mática? – gagueja Emília. – Eh ... hum ... pragmática é aquilo que... você sabe, na gramática, quando a gente quer...

Neste momento, Irene aparece na cozinha e percebe o que está acontecendo.

– O que foi, Verinha? Por que a Emília está com essa cara de quem viu assombração?

É Sílvia quem responde:

– Não é nada não, Irene. A gente só está pedindo à Emília para explicar de novo algumas coisas que ela tão brilhantemente ensinou ontem à noite...

Irene leva a mão à boca para esconder o riso.

– Bem que a Sílvia me disse que tinha desconfiado de alguma coisa! – exclama Vera. – Vocês andaram combinando tudo, não foi?

Irene ri e pergunta:

– Combinando o quê? Qual a sua hipótese?

– Ora, hipótese nenhuma – reage Vera. – Apenas descobri a verdade.

– E qual é a verdade? – cobra Emília.

– Muito simples, querida – responde Vera. – Você ontem, muito mexeriqueira que é, fuçou no computador da tia Irene até descobrir o capítulo do livro dela que trata do pronome *se*... Decorou tudo, porque eu conheço a fama da sua memória, e, ótima atriz que é, encenou aquele número, tentando convencer a gente de seu novo amor pela análise sintática...

Irene ri ainda mais.

– Foi ou não foi? – pergunta Vera.

– Não foi *bem* assim... – defende-se Emília.

– Ah, não? – graceja Sílvia. – Então como foi?

– Ora, eu descobri, sim, o capítulo, mas apenas li, me interessei pelo assunto, aprendi o que estava escrito lá guardei na memória. Não quis encenar coisa nenhuma...

– Não quis, não é? – ironiza Vera. – Então por que não confessou logo? Por que ficou dizendo que tudo aquilo era "fruto da sua reflexão"?

Emília engasga de novo. Irene para de rir, senta-se à mesa e diz:

– Você está certa, Verinha, a Emília é mesmo ótima atriz. Tem uma memória excelente para decorar textos. Na verdade, eu também fiquei espantada quando ela começou a dar as explicações, mas logo reconheci o meu próprio texto e deixei que ela continuasse... A culpa da brincadeira também foi minha...

– Mas que foi divertido, foi, não é? – gaba-se Emília, aproveitando a cumplicidade recém-revelada de Irene. – Consegui enganar vocês direitinho...

Vera, até então sisuda, descontrai o rosto e sorri:

– Conseguiu mesmo! Juro que fiquei muito espantada quando você desmontou toda a minha análise segundo a gramática tradicional... Fiquei me sentindo um verdadeiro dinossauro das teorias linguísticas...

Todas sorriem. Sílvia então se lembra:

– Mas a nossa dúvida sobre a "explicação *pragmática*" é verdadeira, Irene. O que é exatamente isso?

– Não é muito simples – responde Irene. – Mas podemos tentar. A explicação *sintática*, como eu disse ontem... aliás, como *a Emília* disse ontem... baseia-se na *sintaxe* do enunciado, quer dizer, na organização dos termos dentro da oração, na combinação das palavras entre si para formarem um enunciado.

– Esta é a mais fácil – reconhece Vera.

– A "explicação *semântica*" tem a ver com o significado das palavras, com o que elas querem dizer – retoma Irene. – Por exemplo, o enunciado "vendem-se casas" apresenta um problema *semântico*, porque o verbo "vender" não pode ser praticado pelo sujeito "casas"... Casas não podem vender nada, só um ser humano pode vender alguma coisa...

– Entendi – comenta Sílvia. – E a "explicação *pragmática*"?

– A "explicação *pragmática*" tenta ver o relacionamento do falante, do usuário da língua, com aquilo que ele diz – responde Irene.

– Cruzes! Que rolo é esse? – pergunta Emília.

– Foi o que eu disse ontem sobre o *intuito* ou a *intenção* do falante – esclarece Irene. – E que você, Emília, aliás, repetiu muito bem. Se bem lembro, você disse que *"abate-se mil galinhas"* não era uma oração na voz passiva porque "ao usar esta forma de expressão o falante está querendo enfatizar o *ato* de abater, a *ação* de sacrificar as aves, deixando marcado que *alguém faz isso*, mesmo que esse alguém não seja nomeado, o que está expresso pelo sujeito, sujeitíssimo, *se*".

– É mesmo – reconhece Emília –, eu disse exatamente assim, só que não tinha ideia de que isso é que era uma "explicação *pragmática*".

– Pois então – retoma Irene –, essa explicação baseada no uso que o falante faz da língua em determinadas circunstâncias, com determinado intuito e para obter determinado efeito, é uma explicação de ordem pragmática.

– Satisfeitas? – pergunta Emília, dirigindo um olhar sapeca às duas amigas.

– Muito satisfeitas – responde Vera. – Só acho que a tia Irene, de agora em diante, tem de tomar mais cuidado com o computador dela... Deixar trancado, sei lá... usar uma senha para que *certas pessoas* não fucem onde não são chamadas...

– Sugestão aceita – diz Irene sorrindo. – Que tal agora vocês irem passear um pouco? Afinal, já, já vocês vão embora...

– Nem me lembre, tia – suspira Vera. – Estas férias estão sendo tão gostosas...

O nome da bruxa

Na "escolinha", à noite, Irene começou o bate-papo dizendo:

– No domingo passado, vocês conheceram *Dona Assimilação* e viram como ela pode agir, causando mudanças irreversíveis na língua falada. Hoje eu gostaria de apresentar outra figura interessante, uma verdadeira bruxa (ou fada?) que vive solta por aí mandando e desmandando na língua nossa de cada dia. O nome dela é *Analogia*.

– Não parece nome de bruxa – corrige Emília –, parece nome de atriz de cinema italiano, *Anna L'Oggia*...

– Seja como for – prossegue Irene –, a analogia sofre da mesma "mania" da assimilação, acho até que são primas. As duas fazem seus "feitiços" com as semelhanças que encontram na língua. A diferença é que a assimilação tenta tornar semelhantes coisas que estão bem perto uma da outra. Vimos isso com as vogais e semivogais dos ditongos OU e EI. Já a analogia usa um método diferente. Quando vamos abrir a boca para falar, a analogia "sopra" nos nossos ouvidos alguma coisa parecida que se mistura com o que íamos falar, fazendo assim com que deixemos "escapar" uma forma nova.

– Como é que se define cientificamente a analogia? – pergunta Vera.

– A analogia é a "mudança linguística causada pela interferência de uma forma já existente" – responde Irene.

– Parece complicado – diz Sílvia.

– Mas é muito simples – assegura Irene. – A melhor maneira de explicar, como sempre, é com exemplos. E o que não falta na língua portuguesa (nem em língua nenhuma) são exemplos de analogia. Aliás, ela é responsável por uma quantidade imensa de fenômenos linguísticos, tantos que seria impossível mostrá-los todos aqui.

O roubo das vogais fechadas

– O primeiro exemplo de "ataque" da analogia é um "feitiço" tão forte que seus resultados são audíveis não só na língua não padrão, mas também na boca de muita gente que se diz instruída e educada.

– Manda ver... – diz Emília.

– Existe na língua portuguesa uma alternância vocálica muito interessante entre vogal fechada e vogal aberta na relação nome-verbo. Vejam só este quadro...

E Irene distribui uma folha onde está impresso:

Quadro 22

substantivo	verbo	substantivo	verbo
o almoço	eu almoço	o jogo	eu jogo
o apego	eu [me] apego	o namoro	eu namoro
o carrego	eu carrego	o peso	eu peso
o choro	eu choro	o rolo	eu rolo
o dobro	eu dobro	o selo	eu selo
o esmero	eu [me] esmero	o soco	eu soco
o forro	eu forro	o sossego	eu sossego
o gelo	eu gelo	o troco	eu troco
o gosto	eu gosto	o zelo	eu zelo

– Pouco antes de vocês nascerem – explica Irene –, os substantivos desta lista usavam um lindo acento circunflexo, chamado "acento diferencial", exatamente porque ajudava a diferenciar, na escrita, a vogal fechada (presente nos nomes) da vogal aberta (presente na sílaba tônica dos verbos correspondentes).

– É mesmo – confirma Vera –, eu já percebi isso em livros impressos nos anos 60.

– Só que na reforma ortográfica de 1971 esse acento circunflexo "caiu" – diz Irene –, porque se concluiu que nenhum falante de português se confundiria na hora de pronunciar essas palavras. Meus amigos estrangeiros que têm de aprender português ficam perdidinhos com essa alternância vocálica que é característica da nossa língua.

– E onde é que a analogia vai entrar nessa história? – quer saber Sílvia.

– Ela já entrou... – responde Irene – e fez surgir o seguinte quadro:

Quadro 23

substantivo	verbo
o espélho	eu espélho
o estôro	eu estóro
o fêcho	eu fécho
o pôso	eu póso
o rôbo	eu róbo

– E ninguém vá pensar que estou falando aqui de português não padrão! – adverte Irene. – Nada disso. Essas formas podem ser ouvidas diariamente nas melhores lojas, nas salas de aula, na televisão e no rádio, pronunciadas por gente das mais diversas classes sociais e níveis de escolaridade. Todas, porém, são condenadas como "erro" pela gramática tradicional.

– Essa gramática tradicional adora condenar, nunca vi – comenta Emília.

– O caso de *estouro* → *estóro*, *pouso* → *póso* e *roubo* → *róbo* nós já vimos quando tratamos da assimilação – relembra Irene. – Aqui, a analogia aproveitou o trabalho feito antes pela "prima" para depois entrar em ação. O grande "prazer" da analogia é eliminar as exceções e criar *regularidades*, quer dizer, fazer com que o maior número possível de fenômenos da língua se enquadrem dentro de *regras* que já se mostraram eficientes antes.

– Já sei – arrisca Emília –, ela é uma espécie de cão pastor: o que estiver escapando do cercado da regra, ela manda lá para dentro.

– Isso mesmo, Emília – aprova Irene. – Ora, existe uma regra que diz: *substantivo → vogal fechada / verbo → vogal aberta*. É uma regra que se aplica a uma grande quantidade de casos. Por que então não aplicá-la também aos poucos que restam, para ficar tudo "enquadradinho", *regular, análogo*?

– Quer dizer que o "certo", pela gramática tradicional, é dizer "eu fêcho o fêcho"? – pergunta Sílvia.

– É – confirma Irene.

– Gente, eu nunca ouvi ninguém dizer "eu fêcho" – admite Vera.

– Os nordestinos dizem "eu fêcho" – comenta Irene.

– Então eles falam mais "certo" – conclui Sílvia.

– Não – rebate Irene –, eles falam apenas mais "antigo", a fala deles ainda conserva esse acento fechado no verbo, como também a fala de pessoas de mais idade aqui do Sudeste.

– E qual o problema com "espêlho/espélho"? – pergunta Vera.

– O verbo *espelhar*, segundo a gramática tradicional, deve ser conjugado com E tônico fechado. Aliás, esta regra vale para todos os demais verbos terminados em -ELHAR, -ECHAR e -EJAR. A única exceção é *invejar*, que tem E aberto: "eu invéjo".

– Só que a analogia não deixa valer a regra tradicional, não é? – diz Emília.

– Não deixa mesmo – confirma Irene. – Eu me lembro até hoje do quanto a minha pobre professora de "canto orfeônico" lutava para que nós, crianças, ao cantarmos o verso do Hino Nacional que diz *"e o teu futuro espelha esta grandeza"*, pronunciássemos *espêlha* e não *espélha*, que nos parecia muito mais natural...

– Quer dizer que a analogia não respeita nem as crianças? – admira-se Vera.

– As crianças são as vítimas preferidas dela – diz Irene, sorrindo. –Afinal, é ou não é uma bruxa? É a analogia que faz as criancinhas dizerem "eu fazi", "se eu sesse", "eu sabo", "eu pido", porque são formas análogas às formas regulares que elas já conhecem...

– Que gracinha... – diz Sílvia.

– E quanta gente adulta não está dizendo todo dia *eu planéjo*, *eu veléjo*, *eu alméjo*, *eu bocéjo*, *eu faréjo*? – lembra Vera. – Todas "vítimas" da analogia.

– E a analogia não se contenta apenas com os substantivos – alerta Irene. – A mesma regra de vogal fechada/vogal aberta também existe na relação adjetivo/verbo, como por exemplo em *estou seca/ela seca*, *estou solta/ela solta*. Lá vem então a analogia, novamente de mãos dadas com a assimilação: de *doido* surge "eu endoido"; de *frouxo→frôxo* aparece "eu afróxo"; de *inteiro→intêro* brota "eu me intéro"...

O excesso de correção

– Essa analogia é mesmo uma danada – admira-se Vera. – Onde mais a gente pode encontrar o dedo dela?

– Tenho um exemplo muito bom – responde Irene. – Vocês sabem que no português-padrão existem alguns verbos que admitem dois particípios passados, um deles com uma forma mais reduzida. Quais são os mais conhecidos, quem se lembra?

– Do verbo *aceitar* a gente tem *aceitado* ou *aceito* – responde Vera. – De *entregar* temos *entregado* ou *entregue*. De *ganhar* temos *ganhado* ou *ganho*.

– De *gastar* temos *gastado* ou *gasto* – lembra Emília.

– De *pagar* temos *pagado* ou *pago* – diz Sílvia –, e de *salvar*, *salvado* ou *salvo*.

– Muito bem – comemora Irene. – Estes são mesmo os mais conhecidos... Ora, por causa da pressão da escola, surgiu uma "lei" dizendo que só se pode usar, com esses verbos, o particípio irregular, e muita gente faz cara feia e torce o nariz quando ouve alguém dizer: "*Eu tinha aceitado...*", "*Ela tinha entregado...*", "*Nós temos pagado em dia...*". Só que essa "lei" é puro patrulhamento escolar, pois até as gramáticas mais conservadoras admitem que é "correto" o uso das duas formas.

– É como eu digo, vivendo e aprendendo – suspira Emília, tomando nota em seu bloquinho.

– Chega então a analogia e, aproveitando esses exemplos, faz com que muitas pessoas apliquem a regra aos verbos *trazer*, *chegar* e *mandar*, entre outros, produzindo frases do tipo: "*Ele já tinha* trago *o livro que pedi*", "*Quando eu saí, você ainda não tinha* chego", "*Se você tivesse* mando *o que lhe pedi...*"

– Eu já ouvi isso – sorri Vera –, e tem gente que enche a boca para falar assim, como se fosse o português mais "camoniano" possível...

– Esse caso de analogia tem um nome especial – explica Irene. – Chama-se *hipercorreção*.

– Você quer dizer "excesso de correção"? – admira-se Sílvia.

– Isso mesmo – confirma Irene. – Não é curioso? Muita gente "erra" quando tenta "acertar" demais.

– Que delícia saber disso! – comemora Emília. – Hipercorreção, adorei! Vou esfregar isso na cara da nossa diretora toda vez que ela vier me corrigir...

– Pois é, muitos falantes escolarizados, constrangidos pela suposta "lei" que manda usar somente os particípios irregulares, aplicam essa regra a verbos que no português clássico, literário, só conhecem os particípios regulares – explica Irene. – Um desses particípios nascidos da hipercorreção analógica é o do verbo *pegar*, que de tão usado já entrou até para o dicionário, classificado como "brasileirismo", embora sob protestos de muitos gramáticos conservadores. Hoje em dia, a única dúvida que existe é saber se o "certo" é dizer *pêgo* ou *pégo*. Os portugueses não fazem ideia do que significa essa palavrinha, nascida aquém-mar.

– E no português não padrão, tia? A analogia também apronta das suas?

– No PNP – responde Irene –, a analogia também age sobre esses particípios irregulares, mas de forma contrária: ao invés de criar novas formas irregulares, ela faz surgir novas formas *regulares*, análogas às existentes na grande maioria dos verbos. Assim, naqueles verbos que na norma-padrão só admitem o particípio passado irregular a analogia vai agir criando formas regulares.

Ela vai até a lousa e escreve:

Quadro 24

infinitivo	particípio passado	
	PP	PNP
abrir	aberto	abrido
cobrir	coberto	cobrido
dizer	dito	dizido
escrever	escrito	escrivido
fazer	feito	fazido

– Estou vendo, mais uma vez – diz Sílvia – que o PNP é mais coerente porque tenta aplicar a regra mais produtiva às exceções, que constituem raridade, enquanto o PP age exatamente ao contrário, tentando transformar a exceção em regra.

– Conclusão exata – aprova Irene.

– E olha que eu nem fui mexer no seu computador – diz Sílvia, piscando um olho para Emília, que lhe dirige um muxoxo.

Irene sorri e retoma:

– Uma comparação interessante entre as formas diferentes de criação analógica verificadas no PP e no PNP diz respeito aos verbos *pôr* e *fritar*. O verbo *pôr* tem uma forma estranha, irregular, quando comparada aos demais verbos da língua, cujos infinitivos sempre terminam em -AR, -ER ou -IR. Para dar um jeito nisso, o PNP, baseando-se na forma conjugada "eu ponho", criou o infinitivo *ponhar*, regular e muito mais fácil de ser conjugado. Afinal se podemos dizer "eu ganho/ganhei/ganhava", e se existe a forma "eu ponho", por que não diríamos também "eu ponhei", "eu ponhava"? É assim que a analogia procede.

– E o que aconteceu com *fritar*? – quer saber Emília.

– Dessa vez, quem não se deu bem com um verbo foi o português-padrão – responde Irene. – E o verbo esquisito é *frigir*. Imagine alguém dizendo: *"Eu frijo batatas no óleo quente"*, *"A baiana freje o acarajé no azeite de dendê"*.

– Parece outra língua! – diz Emília.

– Não é mesmo? – retoma Irene. – Ora, esse verbo *frigir* é um daqueles que tem um particípio passado irregular: *frito*. Pronto, era tudo que a analogia precisava para fazer nascer o verbo *fritar*, saborosamente regular.

– E o verbo *frigir*? Aonde foi parar? – pergunta Sílvia.

– O verbo *frigir* ficou restrito à deliciosa expressão "*no frigir dos ovos*" – responde Irene – e ao nome da panela que usamos para fritar, a *frigideira*.

Irene conclui a "aula" dizendo:

– Esses foram apenas uns poucos exemplos da festa que a analogia tem feito e continua a fazer na língua. Agora que vocês já conhecem os truques dessa bruxa, fiquem bem atentas para não caírem na esparrela de achar que alguém está cometendo um "erro", quando na verdade está simplesmente seguindo a tendência natural que a língua têm à analogia...

A FÔRMA, A NORMA E O FUNIL
– mudança, variação e problemas no ensino da língua –

O perigo de um novo mito

No dia seguinte, na hora do café da manhã, Sílvia está tão calada e concentrada que Emília não pode deixar de perceber. Com a gaiatice de sempre, comenta:

– Ah, que coisa linda é o amor, não é, gente? – e pisca marotamente para Vera.

– Por que esse comentário, Emília? – pergunta Irene.

– Porque a Sílvia acordou tão borocoxô que só pode ser saudades do namorado...

Ouvindo seu nome, Sílvia parece despertar de um sono profundo:

– Hem? Alguém me chamou...?

Todas riem. Eulália responde:

– A Emília disse que você deve estar com saudade do seu namorado, por isso está tão quieta...

– Saudades? Eu? Ah, não... quer dizer... sim... Mas não é por isso que estou calada... É que desde ontem estou pensando umas coisas, e queria mesmo tirar umas dúvidas com você, Irene.

Emília não perde a deixa:

– Ai, meu Deus, que garota mais CDF! Quer ter aula até na hora do café da manhã...

Irene sai em defesa de Sílvia:

– Não tem hora marcada para isso, Dona Emília... Toda hora é hora de investigar, descobrir e aprender...

– É o que eu vivo dizendo aos meus alunos... – safa-se Emília, sorrindo.

– Quais são suas dúvidas, Sílvia? – interessa-se Vera.

– No primeiro dia de aula, Irene, você enfatizou muito a questão de toda língua ser, na verdade, um conjunto de variedades... a Emília até falou que a língua é um *balaio* de variedades...

– Isso mesmo – confirma Irene.

– Só que todo esse tempo a gente tem falado de português-padrão e português não padrão como se só existissem essas duas variedades de língua no Brasil... Você alertou a gente contra o mito da língua única. Não existe aí o perigo de um novo mito, o mito de duas línguas únicas? Não está havendo uma contradição nisso?

Irene sorri e pisca para Vera:

– Agora ela me pegou...

– Por quê, tia? Se bem me lembro, você também disse que o PNP apresentava variedades conforme as diversas regiões geográficas, classes sociais, níveis de escolarização e assim por diante, mas que existiam alguns grandes traços linguísticos que eram comuns a todas essas variedades.

– Obrigada, querida sobrinha, por tentar me defender. Mas a dúvida da Sílvia é muito bem fundada. Se, como você lembrou, existem muitas variedades de português não padrão e se o que até agora eu venho chamando de "o" PNP é o conjunto de traços linguísticos comuns a todas elas, o que se pode concluir é que...

– ... "o" PNP não existe... – completa Sílvia.

Irene confirma balançando a cabeça.

– Ai, gente, que confusão na minha cabeça... – queixa-se Emília. – Problemas filosóficos de barriga vazia? Eu ainda não abri minha venda, não engatei a primeira, não pus o pé no mundo... Vocês conseguem esperar até eu tomar pelo menos uma boa xícara de café preto?

Vera, sem se incomodar com Emília, pergunta:

– Tia, que história é essa? Como assim, "o PNP não existe"?

– O PNP não existe, Verinha, simplesmente porque o PP também não existe...

– Agora ficou melhor ainda... – suspira Emília, servindo-se de café. – Tivemos uma semana toda de aulas sobre nada...

Sílvia, no entanto, parece satisfeita:

– Quer dizer que eu não estou ficando maluca? Graças a Deus!

– Graças a Deus eu tive a sorte de receber "alunas" tão inteligentes nestas férias... Só que a Emília tem razão, vamos terminar nosso café primeiro? Depois a gente pode dar um pulinho lá na "escolinha" e pensar melhor sobre essas coisas.

É claro que todas tratam de terminar de comer o mais depressa possível. Emília ainda reclama de ter de esperar que tirem a mesa e lavem a louça. Está curiosíssima.

Um só padrão, mas inúmeras variedades

Reunidas, finalmente, na sala de aula, Irene não demora a dizer:

– Antes que vocês pensem que andei mentindo ou dando aula sobre nada, como sugeriu nossa querida Emília, acho bom explicar que não aconteceu nem uma coisa nem outra. Quando eu disse, ainda há pouco, na cozinha, que o PNP não existe porque o PP também não existe, eu estava tentando mostrar que a Sílvia está certíssima em chamar a atenção para o perigo do mito das duas línguas únicas. Não existe uma única variedade não padrão, existem muitas, e dizer quantas é até impossível, já que, como vimos, para definir bem uma variedade temos de levar em conta um número grande de elementos linguísticos e sociais. Ora, se cada falante tem "a sua língua" e se temos centenas de milhões de falantes no Brasil, então também temos centenas de milhões de "línguas", não é?

– Exatamente – concorda Sílvia.

– Quando eu passei a falar do PP e do PNP, eu estava tentando reunir, sob esses rótulos, as regras que constituem a chamada norma-padrão e as características comuns às variedades consideradas não padrão. O mais coerente, no caso das não padrão, seria falar *dos* PNP, sempre no plural.

– E no caso do PP? – pergunta Vera. – Existe uma variedade que seja "a" variedade-padrão?

– Não. No caso do padrão a coisa fica um pouco mais complicada.

– Eu já desconfiava... – suspira Emília, abrindo seu bloquinho de notas. – Manda ver...

Irene medita um pouco, respira fundo e retoma:

– Não existe uma "variedade-padrão". E por que não existe? Porque para nos referirmos a uma *variedade* de língua, é preciso também, obrigatoriamente, nos referirmos aos *seres humanos que falam essa variedade*. Ora, quando falamos de *padrão* não estamos falando de uma variedade de língua viva, concreta, palpável, que a gente possa gravar em fita ou coletar em textos escritos. O *padrão* é sempre um modelo, uma referência, uma medida, um critério de avaliação. Um padrão nunca é a própria coisa a ser medida, avaliada. Por isso, usar a expressão variedade-padrão chega a ser um paradoxo.

– Será que estou entendendo... ? – diz Emília.

– Veja bem, Emília: o molde de um vestido nunca é o vestido mesmo, não é? Ele nem é feito de tecido, em geral é feito de papel ou papelão. Mesmo que a gente cole ou costure todos aqueles pedaços de papel ou papelão, o resultado nunca será um vestido que alguém possa usar, certo?

– Certo.

– O mesmo acontece com o padrão da língua. Existe um conjunto enorme de regras para o uso da língua que compõem uma *norma*, um *padrão* de língua, mas que, na realidade, não é uma variedade, pois ninguém obedece rigidamente a todas aquelas regras ali prescritas, nem mesmo o falante mais culto, mais escolarizado, mais preocupado em controlar sua fala ou sua escrita. Esse falante pode até conseguir respeitar uma boa porcentagem das regras padronizadas, mas nunca respeitará todas elas.

– Então, Irene, se estou entendendo, não existe um português-padrão de um lado e um português não padrão do outro, mas, sim, a língua com todas as suas variedades de um lado e uma norma ou um padrão, do outro. É isso? – pergunta Sílvia.

– Precisamente, Sílvia.

– Seria possível a gente falar da diferença entre o *real* e o *ideal*, tia? Porque as variedades linguísticas existem concretamente, eu falo uma, a Eulália fala outra, cada um de nós fala uma variedade ou mais. Essas variedades, como eu já tenho estudado na faculdade, podem ser registradas, gravadas, coletadas. Já o padrão, por não ser falado por ninguém, seria, na verdade, aquela língua ideal, que a gente tem como um modelo abstrato do que é "bom" e "correto". Seria algo assim?

– Sim, Verinha, essa sua análise está muito boa, ou pelo menos coincide com meu modo de ver as coisas. As *variedades* da língua são reais e concretas. A *norma-padrão* é um ideal de língua, uma abstração.

– E o que são as gramáticas normativas? Elas são o molde para a gente fazer o vestido? – pergunta Emília.

– Sim – responde Irene. – As gramáticas normativas tentam ser um molde. Só que o uso que se faz delas, em geral, é uma costura às avessas. Em vez de pegar o molde para, com ele, cortar o tecido e depois montar o vestido, os normativistas, e o ensino tradicional baseado neles, fazem o contrário: pegam um uso real e concreto da língua (um vestido já pronto) e vão medir e avaliar esse uso para ver se ele está de acordo com o molde preestabelecido.

– Já sei... – arrisca Emília. – De um lado está toda a massa de língua produzida pelos falantes. Do outro está a fôrma da gramática normativa. O gramático quer que a gente faça nosso bolo sair exatamente como manda a fôrma. Aposto que essa fôrma é bem quadradinha... Se o falante deixar escorrer um pouco de massa para o lado e o bolo sair um pouquinho menos quadrado, ele será reprovado...

– Como sempre, Emília, sua comparação me parece ótima – sorri Irene. – A norma-padrão é isso mesmo: uma fôrma, um molde, um gabarito, uma régua. Quem não faz "como manda o figurino" está fugindo do padrão, da norma...

– Está sendo um *anormal* – completa Vera.

– Está desobedecendo o *patrão* – sugere Emília, lembrando-se do primeiro dia de aula.

Quem é falante culto?

Irene pega uma régua, canetas hidrográficas e, numa folha de papel, desenha esta figura:

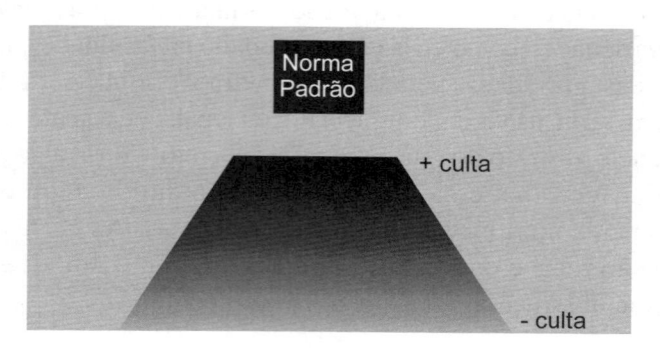

– Conforme vocês mesmas sugeriram, podemos dizer que o que existe, de um lado, em termos de *representação ou imaginário linguístico*, é uma norma-padrão ideal, inatingível e, do outro lado, em termos de *realidade linguística e social*, a massa de variedades reais, concretas, como se encontram na sociedade. Como tentei mostrar no desenho, essas variedades não se encontram isoladas umas das outras, elas não são "coisas" prontas e acabadas, de contornos definidos. Elas têm muitas semelhanças e algumas diferenças entre si. Elas têm contatos umas com as outras, elas representam um espectro contínuo, ou simplesmente um *continuum*, como se diz nas ciências sociais.

– Por que você fez o desenho desse modo? Pode explicar o que essas coisas representam? – pede Emília.

– Claro. O quadrado preto no alto é a norma-padrão, é a fôrma à qual supostamente todos os falantes da língua têm de se adaptar na hora de usar a língua. Aproveitei sua sugestão, Emília... A figura embaixo do quadrado representa a gama de variedades existentes na sociedade.

– Por que as cores vão assim, do mais claro para o mais escuro, num *dégradé*, tia?

– Porque eu quis mostrar o *continuum* de variedades que existe na realidade linguística brasileira. As variedades mais escuras são aquelas que mais se aproximam da norma-padrão. Como o padrão é um ideal, e o ideal cem por cento perfeito é sempre inatingível, fiz questão de deixar um espaço entre as variedades [+ cultas] e a norma-padrão, um espaço que separa a realidade social da representação imaginária. As variedades mais claras são aquelas que mais se afastam das regras prescritas pela norma-padrão, das regras que as gramáticas normativas dizem ser as certas.

– E por que você escreveu [+ culta] e [- culta] nos extremos da figura de baixo? – pergunta Emília.

– Porque esse é o critério mais seguro para classificarmos as variedades linguísticas no Brasil. Os pesquisadores engajados nos grandes projetos de pesquisa linguística do português brasileiro chegaram à conclusão de que é o *nível de escolaridade* o principal fator a ser levado em conta na hora de classificar um falante e sua variedade. Nesses projetos, o rótulo *falante culto* é aplicado ao indivíduo que tem curso superior completo.

– Ai, que triste, meu Deus! – lamenta Emília. – Quer dizer que eu não sou uma falante culta?

– Pelos critérios dos pesquisadores, Emília, ainda não – responde Irene.

– Isso é revoltante! Só depois que eu terminar meu curso na faculdade é que vou poder ser classificada de culta?

– Pode parecer arbitrário, Emília, mas, para empreender um projeto de pesquisa que tenha algum rigor científico, é preciso estabelecer critérios que apresentem um mínimo de objetividade. Se não for assim, cada pesquisador poderá escolher o informante que quiser, baseado em suas próprias noções subjetivas de *culto*. Eu tenho um tio, por exemplo, que só cursou até o segundo grau. Sempre trabalhou como funcionário público da prefeitura de uma cidadezinha do interior. Mas aprendeu sozinho três ou quatro línguas estrangeiras, tem um vasto conhecimento de literatura, possui uma biblioteca invejável, escreve contos e poemas que já foram até premiados em diversos concursos...

– Mas não poderia ser classificado de falante culto porque não se diplomou... – completa Vera.

– Exatamente. Eu considero esse meu tio um homem extremamente culto, mais até do que muita gente por aí que cursou universidade e se formou, mas um outro linguista pode achar que não. Por isso, para manter a objetividade do trabalho, se estabelece um critério que todas as pessoas envolvidas na pesquisa terão de respeitar.

Emília faz um muxoxo, mas acaba se conformando com sua qualificação de *ainda não culta*.

– E por que foi escolhido esse critério da escolaridade, tia?

– Porque ele dá conta de características próprias da sociedade brasileira, Verinha. Nos Estados Unidos, por exemplo, a cor da pele costuma ser um elemento decisivo para a classificação de uma variedade linguística: o inglês falado pelos negros, principalmente pelos que vivem em comunidades mais ou menos fechadas, os chamados guetos, dentro das grandes cidades americanas, tem características linguísticas muito particulares que não aparecem no inglês dos brancos. Em outras sociedades, como a japonesa, existem diferenças bastante importantes entre a língua falada pelos homens e a língua falada pelas mulheres. Já na Inglaterra o que se leva em conta, em geral, é a classe social a que o falante pertence. É tradicional dividir a sociedade inglesa em três grupos bem distintos: a *working class*, a classe operária; a *middle class*, a classe média; e a *upper class*, a classe superior. Essa divisão e esses nomes têm a ver com a realidade social britânica, mas já não funcionariam do mesmo modo na análise do português do Brasil. Além disso, na Inglaterra, a norma-padrão recebe o pomposo nome de *Queen's English*, "inglês da Rainha"...

– Inglês da Rainha? – espanta-se Emília. – Essa é muito boa...

– Falar de "inglês da Rainha" me parece uma referência explícita às relações que existem entre a *norma-padrão* e o *poder político*, não é, Irene? – observa Sílvia.

– Isso mesmo. Por isso, o linguista Einar Haugen disse que a elite dominante, além de poder afirmar, como o rei francês Luís XV, "o Estado sou eu", também pode dizer: *"língua* é a minha", o que o resto do povo fala não é "língua": é "dialeto", "jargão", "patoá", "algaravia", "ingresia"... palavras que têm, todas, um sentido depreciativo, pejorativo muito marcado.

– Você estava explicando por que o critério da escolaridade foi escolhido para definir os falantes cultos... – recorda Vera.

– No nosso país, Verinha, infelizmente, o acesso à escolarização formal acompanha a péssima distribuição da riqueza nacional. Em muitos países, mesmo as pessoas das camadas sociais menos privilegiadas têm acesso à educação formal. Nesses lugares existe uma verdadeira democratização do ensino. No Brasil isso já não acontece. Aqui, embora o ensino primário seja obrigatório por lei, quanto mais pobre o cidadão, menor é sua chance de conseguir estudar. E quanto menor o índice de escolaridade, menores as possibilidades de conseguir um emprego bem remunerado. Por isso, temos uma multidão de pobres e miseráveis, vivendo em condições subumanas, que são ao mesmo tempo uma multidão de analfabetos. A média de escolaridade do brasileiro é de quatro anos e meio, muito baixa para um país que apresenta um dos mais importantes parques industriais do mundo. O Brasil tem a décima economia do planeta, mas também é o sétimo colocado entre os países com maior número de analfabetos, segundo informações da UNESCO.

– Eu tenho lido muita coisa sobre isso na imprensa – confirma Sílvia. – É mesmo difícil ser professora numa sociedade como a nossa, onde tudo conspira contra a educação, a começar do governo...

– Por tudo isso é que muitos linguistas brasileiros optaram pela classificação das variedades linguísticas de acordo com o grau de escolaridade dos falantes – prossegue Irene. – Verificou-se que os negros e os brancos brasileiros não apresentam diferenças linguísticas sensíveis em suas variedades, o mesmo acontecendo com as demais etnias que compõem nosso povo. Assim também acontece com homens e mulheres. O que vai determinar a classificação das variedades é a escolarização. Supõe-se que a pessoa que fez todo o percurso da educação formal, passando pelos onze anos de ensino fundamental e médio, mais os quatro ou cinco anos de um curso superior, teve um contato ininterrupto com as formas linguísticas consideradas padrão: foi obrigada a ler muito, a escrever muito, a falar em seminários, a ouvir aulas e palestras, etc. Tudo isso é suficiente para que seja classificada como um falante culto.

– Mas classificar a fala de alguém como culta não significa dizer que essa pessoa respeita a norma-padrão o tempo todo em todas as situações, não é, tia?

– Muito bem lembrado, Verinha. A classificação de uma variedade como [+ culta] é uma questão de *grau de frequência*. Classificamos como [+ culta] aquela variedade na qual as formas consideradas padrão ocorrem com maior intensidade. O falante culto, como qualquer falante, está sujeito a todo tipo de influências externas e internas. Ele sofre pressão do ambiente em que se encontra, do tipo de situação, da hierarquia social em que se acha em relação às demais pessoas com quem está interagindo...

– Essas são as influências externas – diz Vera.

– Sim. Além disso, ele pode também estar sujeito a todo tipo de instabilidade psicológica, tensão, medo, estresse, cansaço físico, sono, angústia e assim por diante. Tudo isso interfere no momento da produção linguística. Às vezes o contexto formal ou tenso da interação pode levá-lo à hipercorreção, fazendo ele dizer "*houveram* coisas estranhas", "eu penso *de que* não se deve fazer isso" etc. Outras vezes ele pode estar num ambiente totalmente descontraído, com pessoas de sua intimidade, e por isso não se preocupa em vigiar sua fala, produzindo enunciados como "as *menina* tudo *veio*", "você quer que eu *faço* isso?" etc. Se ele for de origem rural e estiver convivendo com pessoas do mesmo lugar, pode ser até que queira usar formas como "véio", "muié", "futebor" para criar o que chamamos de *lealdade linguística*, numa atitude de empatia, de solidariedade em relação a seus interlocutores... Essas coisas a gente percebe ao conviver com falantes cultos em diferentes situações e contextos de uso da língua, e no nosso próprio comportamento linguístico, como falantes escolarizadas que somos...

– É verdade – confirma Sílvia. – Eu tenho um professor na faculdade que quando está em sala de aula parece uma gramática de carne e osso, de tão caprichado que fala. Mas quando sai com a gente depois da aula para beber num barzinho, ele fica descontraído e fala igualzinho ao caipira mais caipira que se possa imaginar. Ele nasceu e cresceu num sítio no interior do estado.

– Pois é – retoma Irene. – O que caracteriza um falante culto é justamente essa facilidade que ele tem de mudar de *registro*, como se diz em Linguística. Ele pode passear tranquilamente por todo o espectro de variedades, por todo o *continuum*, conforme lhe pareça mais adequado às suas intenções comunicativas. Por isso é tão importante permitir a todos os falantes o acesso à escola e à norma-padrão. Esse conhecimento permitirá que a pessoa escolha a variedade ou o estilo que quer usar num dado contexto, numa dada situação.

– O falante culto é como alguém que tem uma quantidade bem grande de roupas, dos mais variados estilos, e na hora de se vestir vai escolher aquela que ele acha mais apropriada para a ocasião – sugere Emília. – Já o falante menos culto tem um guarda-roupas pobrezinho, com duas ou três peças que ele tem de usar o tempo todo em todas as situações.

– Gostei da comparação, Emília. Se você permitir, vou usar no meu livro... citando você, é claro...

Emília estampa um sorriso de satisfação que vai de orelha a orelha.

– Ai, tia, você não vê que a Emília já é metida o bastante? Precisa ficar bajulando o ego dessa criatura? Desse jeito ela vai ficar ainda mais "ganjenta", como dizia o Monteiro Lobato para falar da Emília dele.

– A inveja não é mesmo uma coisa tristíssima? – diz Emília em tom piedoso.

Pressão conservadora e mudança inovadora

Observando melhor o desenho na lousa, Sílvia comenta:

– É muito pequena a parcela da nossa população que consegue alcançar a classificação de falante culto. Foi por isso que você representou as variedades [+ cultas] como uma faixa mais estreita que as variedades [- cultas], não foi?

– Isso mesmo – confirma Irene. – No Brasil, a escolaridade plena, acompanhando a injustiça social e a desigualdade econômica, é um funil por onde só passa uma porcentagem relativamente pequena de brasileiros.

Irene pega seu desenho e faz alterações nele:

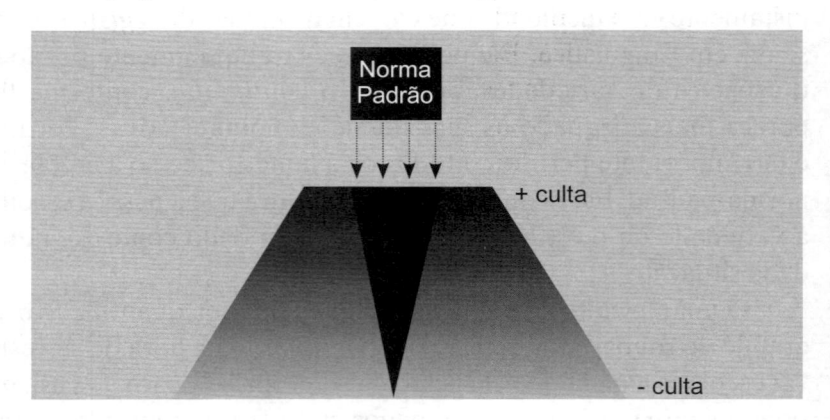

– Resolveu incluir o tal funil no desenho? – pergunta Emília.

– Mais ou menos... Como já vimos, a norma-padrão é um ideal de língua, não existe concretamente como uma variedade real. No entanto, ela tem uma influência muito grande no imaginário linguístico das pessoas, exerce uma forte pressão sobre os falantes. Essa pressão vai crescendo na proporção do contato que o falante tem com a norma-padrão, por isso quanto mais escolarizado o falante, maior a pressão da norma-padrão. Já nas variedades menos cultas, na base da pirâmide, onde podemos incluir os milhões de analfabetos, as pessoas que não têm nenhuma familiaridade com a escola, a influência-pressão das regras padronizadas é praticamente nula.

– É tão interessante ver tudo assim, desenhado. Dá uma ideia bem melhor de como as coisas realmente acontecem... – comenta Vera.

– É verdade – concorda Emília.

– Eu gosto muito desse tipo de procedimento didático – explica Irene. – Ajuda muito mesmo. Só que a coisa ainda não terminou. O que estou tentando mostrar para vocês com esses desenhos é de que modo as línguas mudam com o tempo. O ponto que eu quero ressaltar aqui é a *mudança da norma-padrão*. Ao contrário do que as pessoas em geral pensam, os conceitos de certo e de errado não são definidos de uma vez por todas, para todo o sempre. Como tudo na vida e no universo muda, a língua também muda junto com tudo mais. É verdade que existe uma pressão muito grande dos defensores da norma-padrão de fazer com que ela fique inalterada, compacta e sólida, mas isso é simplesmente impossível. O que a história das línguas – de *todas* as línguas – nos ensina é que, ao longo do tempo, não importa qual for a intensidade da pressão normativizadora, a norma-padrão vai sofrer alteração.

– E como é que isso acontece? Dá para desenhar? – pergunta Vera.

– Vamos tentar... – e Irene volta a seu desenho.

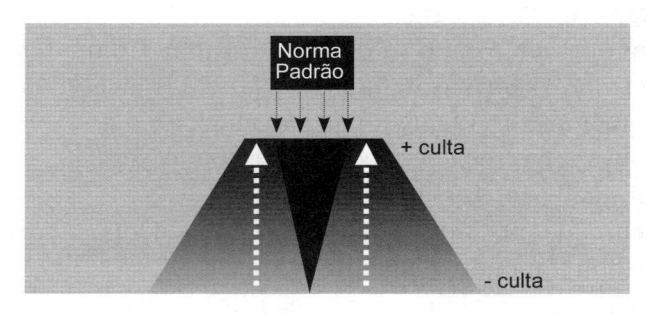

– E agora, santa Gertrudes? O que será tudo isso? – espanta-se Emília.

– Estou tentando mostrar de que maneira as mudanças acontecem na língua, Emília. Os tracejados brancos que partem das variedades [- cultas] e sobem na direção das [+ cultas] indicam as mudanças que, pouco a pouco, vão modificando o aspecto geral da língua. Essas mudanças acontecem primeiro nas variedades [- cultas], aquelas que não sofrem pressão da norma-padrão por serem faladas por pessoas que não têm acesso à escolarização formal. Como já vimos, essa ausência de pressão da escola permite que nessas variedades as tendências mais naturais da língua se manifestem e se desenvolvam com mais liberdade. Essas mudanças, lentamente, vão subindo na escala social. Lentamente vão sendo assimiladas pelos falantes [± cultos], lentamente vão deixando de ser estigmatizadas até que, uma vez plenamente aceitas pelos falantes [+ cultos], acabam por se incorporar na variedade deles e deixam de ser encaradas como "erros". Foi o que tentei representar com as áreas brancas na faixa que representa as variedades [+ cultas]. É por isso que não podemos dizer que as variedades [+ cultas] são a própria norma-padrão. Porque, como o processo de mudança da língua nunca para, as variedades empregadas pelos falantes mais escolarizados sempre apresentam uma boa parcela de conservadorismo, mas também uma boa parcela de inovações linguísticas. Essas inovações é que são encaradas como "erros" pelos normativistas...

O certo de hoje já foi o errado de ontem

– Que tal um exemplinho, para facilitar a vida da gente? – pede a estudante de Pedagogia.

– Com prazer. Vejam só que interessante. Comparem o verbo latino *laxare*, as formas italiana, *lasciare*, e francesa, *laisser*, com o português *deixar*. O que foi que aconteceu?

– Houve uma troca de L por D – responde Vera.

– Por quê? – interessa-se Emília.

– Acho que, por serem duas consoantes dentais, aparentadas, uma acabou tomando o lugar da outra.

– Isso mesmo, Verinha – confirma Irene. – Se nós formos ler a famosa carta de Pero Vaz de Caminha ao rei D. Manuel I de Portugal dando notícia da chegada da esquadra de Cabral ao Brasil, vamos encontrar, logo no comecinho, algo mais ou menos assim: "não *leixarei* também de dar disso minha conta a Vossa Alteza..."

– Quer dizer que em 1500 ainda se usava o l em *leixar*? Que divertido! – admira-se Emília.

– Podemos deduzir que, durante algum tempo, as duas formas *leixar/deixar* ficaram em concorrência até que a forma mais nova se fixou nas variedades cultas e acabou ganhando seu lugar dentro da norma-padrão.

– Quer dizer que o que foi "erro" no passado, agora é o que há de mais "certo" possível, não é, tia? Imagine se alguém disser *leixar* hoje em dia...

– Vai ser acusado de *desleixo*, de ser um *relaxado* – diz Irene, sorrindo. – Vejam que, nessas duas palavras que usei, o l da raiz latina ficou preservado. No verbo *deixar*, que é muito mais usado, muito mais popular, não houve como resistir à força da mudança.

– Quero mais, Irene, mais exemplos, por favorzinho... – suplica Emília.

– Exemplo é o que não falta. Quando estudamos as proparoxítonas pudemos ver de que modo uma quantidade enorme delas acabou ficando, na norma-padrão, com acentuação paroxítona. Mudanças que certamente começaram na fala das pessoas menos cultas... Mas se você quer outros exemplos, aqui vão dois ligados a coisas da igreja. A nossa palavra *bispo*, antigamente, era *obispo*...

– Como em espanhol? – pergunta Vera.

– Isso mesmo. Só que esse o inicial da palavra começou a ser interpretado pelos falantes como o artigo definido. Daí aconteceu que em vez de se dizer *o obispo*, começou-se a dizer *o bispo*, que é o que ficou como bonito e bom até hoje. O mesmo aconteceu com a *veste abatina*, isto é, a roupa do abade. De *a abatina* se passou para *a batina*, e assim ficou consagrado. Se formos pensar em mudanças nos significados das palavras, então, não sairemos daqui hoje.

– E na sintaxe, tia?

– As estruturas sintáticas também vão mudando com o tempo. O caso da partícula *se* que já vimos ilustra bem essa mudança. Nas variedades [- cultas] os verbos estão sempre, obrigatoriamente, no singular, como em: "Não *se faz* mais casas como antigamente". Nas variedades [+ cultas] o respeito à regra padronizada – "Não *se fazem* mais casas como antigamente" – está praticamente reduzido à língua escrita mais rigorosamente apegada à tradição normativista. Na língua falada e na escrita que procura seguir as regras do uso brasileiro normal, os verbos só aparecem no singular, como vimos no poema "Catar feijão", de João Cabral de Melo Neto que, aliás, está longe de ser um exemplo de "fala popular".

– Que tal um exemplinho de mudança de significado? – pede Sílvia.

– Vou dar um exemplo de mudança de significado acompanhada de mudança sintática. Antigamente o verbo *aborrecer* era transitivo direto, mas não no sentido em que usamos hoje esse verbo. No romance *Quincas Borba*, de Machado de Assis, a gente encontra este trecho maravilhoso, que já decorei de tanto usar como exemplo:

> Carlos Maria amava a conversação das mulheres, tanto quanto, em geral, aborrecia a dos homens. Achava os homens declamadores, grosseiros, cansativos, pesados, frívolos, chulos, triviais. As mulheres, ao contrário, não eram grosseiras, nem declamadoras, nem pesadas. A vaidade nelas ficava bem, e alguns defeitos não lhes iam mal; tinham, ao demais, a graça e a meiguice do sexo. Das mais insignificantes, pensava ele, há sempre alguma coisa que extrair. Quando as achava insípidas ou estúpidas, tinha para si que eram homens mal acabados.

Emília, Vera e Sílvia caem na gargalhada.

– Não é delicioso mesmo? – pergunta Irene.

– Só um gênio como o Machado de Assis podia ter escrito uma coisa assim – concorda Vera.

– Quero anotar depois, viu, Irene? – pede Emília. – Também vou decorar para dizer para algumas pessoas que conheço...

– Viram como o Machado usou o verbo *aborrecer*? Hoje ninguém mais usaria assim, soaria até estranho. Se fôssemos "traduzir" para o uso comum de hoje, diríamos: "Carlos Maria amava a conversação das mulheres, tanto quanto, em geral, *se aborrecia com* a dos homens". Nas traduções clássicas da

Bíblia, a gente encontra: "Deus *aborrece* o pecador". Parece até que o sentido está trocado, não é? Afinal, na significação moderna, o pecador é que aborrece a Deus, isto é, causa aborrecimento a Deus. Ou então: "Deus *se* aborrece *com* o pecador".

– Então, Irene, você vai ter de continuar mexendo no seu desenho – sugere Sílvia. – É preciso mostrar que as mudanças aceitas pelas variedades [+ cultas] acabam transformando a norma-padrão.

– Já que você pediu...

Irene acrescenta novos elementos à figura:

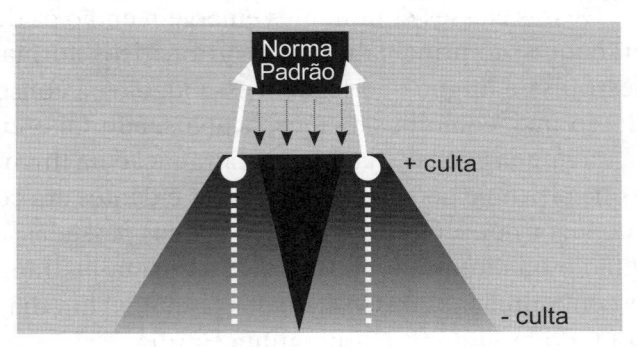

– Conforme a Sílvia já disse, quando as mudanças se cristalizam nas variedades [+ cultas] e deixam de ser percebidas como "erros", quando os falantes dessas variedades aceitam sem resistência essas novas formas linguísticas, elas acabam se incorporando à norma-padrão, passam a integrar o ideal imaginário de língua "certa", e ganham até o *status* de regra obrigatória. É por isso que a norma-padrão de uma determinada época é diferente da norma-padrão da época seguinte. Mas a norma-padrão está sempre em atraso em relação às variedades vivas da língua, onde as formas novas não param de surgir, concorrendo com as mais antigas até eliminá-las ou transformá-las em fósseis linguísticos.

O poder simbólico da norma-padrão

– O caráter conservador da norma-padrão está ligado à sua importância política, ao tal "inglês da Rainha", não é? – pergunta Sílvia.

– Muito bem lembrado, Sílvia. A norma-padrão tem um *poder*

simbólico muito forte. Ela representa, no imaginário coletivo, a língua supostamente falada pelas camadas sociais de prestígio, que detêm o poder econômico e político do país. Essas classes privilegiadas veem na norma-padrão conservadora um elemento precioso de sua própria identidade de grupo dominante. Quem fala o "inglês da Rainha" pertence à aristocracia, à nobreza, e seu modo de falar marca uma diferença (e até uma rejeição) em relação à língua da plebe, da rafameia, à língua "vulgar"... Por isso tanto empenho em conservar a norma-padrão inalterada, pura, sem corrupções. Dessas classes dominantes emergem então os defensores do padrão, que são principalmente os gramáticos normativistas e os professores de língua que seguem essa ideologia conservadora. Um esforço que, como já sabemos, acaba sendo feito em vão. A "pureza da língua" de hoje já foi "contaminação na língua" de ontem. O que eles hoje defendem com unhas e dentes era combatido com todo vigor por seus ancestrais em épocas passadas.

– Então o quadradinho preto, que é a norma-padrão, de tanto receber contaminações das variedades [+ cultas] um dia, no futuro, ficará todo branquinho? – pergunta Emília.

– Certamente – responde Irene. – Só que quando ele estiver todo branquinho, como você diz, as mudanças mais novas na língua já estarão fazendo pressão sobre ele, num processo ininterrupto de transformação. Sempre haverá um descompasso entre a tendência conservadora da norma-padrão ideal e a tendência inovadora das variedades reais.

– E essa mudança toda é rápida ou é lenta? – pergunta Sílvia.

– A velocidade da transformação da norma-padrão vai depender da dinâmica social da comunidade ou do país. Numa sociedade em que a escolarização é realmente democratizada, em que o número de analfabetos é mínimo, em que há uma cultura letrada muito forte, a norma-padrão pode exercer com mais vigor suas pressões e barrar por um tempo mais longo as mudanças linguísticas. É o caso, por exemplo, da França, que tem uma norma-padrão extremamente enrijecida, cristalizada há um bom tempo já. No Brasil, como já repeti várias vezes, a força da escola é muito pequena, temos 60 milhões de analfabetos plenos e funcionais, isto é, gente que aprendeu a ler e a escrever mas não ficou na escola tempo suficiente para desenvolver mais plenamente essas habilidades. É quase a população total da França. Nosso sistema de ensino público é classificado entre os piores do mundo.

Democratizar a norma-padrão, criticando-a

– Então bastaria dar escola a todos os brasileiros para que todo mundo falasse e escrevesse direitinho? – pergunta Emília.

– Não, Emília. Não é tão simples assim – responde Irene. – Porque mesmo os falantes cultos, aquelas pessoas que têm acesso às regras padronizadas, incutidas no processo de escolarização, se mostram muito inseguras no momento de usar essas regras conservadoras. Porque não basta ensinar a gramática normativa na escola. É preciso definir de maneira mais democrática qual deve ser a norma a ser apresentada na escola. É urgente empreender uma crítica profunda desse padrão. Uma norma que ainda obriga os alunos a decorar as formas verbais correspondentes ao pronome *vós*; que ainda apresenta a mesóclise como uma opção possível para a colocação pronominal; que obriga a decorar regências verbais que não correspondem à gramática do português brasileiro (assistir "ao" filme); que não reconhece a força pragmática de muitas construções consideradas "erradas"; que condena a "mistura de tratamento" sem reconhecer que todo o quadro pronominal do português do Brasil já se transformou há muito tempo... é uma norma-padrão que tem muita coisa inútil, irrelevante, obsoleta...

Se é verdade que o padrão linguístico será sempre um ideal, inatingível na prática em sua totalidade, também é verdade que a escola deveria se esforçar para que esse padrão absorvesse uma série de usos linguísticos novos, perfeitamente assimilados pelos falantes cultos, e já consagrados até na literatura dos melhores escritores. Isso reduziria o abismo que existe entre o padrão linguístico e o uso real da língua por parte dos falantes cultos. Além disso, é preciso também que, dentro da escola, haja espaço para o máximo possível de variedades linguísticas: urbanas, rurais, cultas, não cultas, faladas, escritas, antigas, modernas... Para que as pessoas se conscientizem de que a língua não é um bloco compacto, homogêneo, parado no tempo e no espaço, mas sim um universo complexo, rico, dinâmico e heterogêneo...

Ciência vs. tradição dogmática

– É aí que os linguistas brigam com os gramáticos tradicionalistas, não é tia?

– Exatamente, Vera. Enquanto a maioria dos linguistas quer essa democratização, esse reconhecimento da complexidade dos fenômenos linguísticos, com base nas pesquisas empreendidas com critérios científicos mais rigorosos, muitos gramáticos tradicionalistas, comprometidos com a preservação do poder simbólico que é a norma-padrão, esforçam-se cada vez mais em impor regras que, analisadas criticamente, se revelam muitas vezes ilógicas, incoerentes, obsoletas.

– E eles não estão sozinhos, Irene – intervém Emília. – De uns tempos para cá eu tenho notado uma onda gramatiqueira invadindo tudo que é lugar. É programa de televisão e de rádio, é coluna de jornal e de revista, é CD-ROM, é página na Internet, é consultório gramatical por telefone, o diabo a quatro... Isso para não falar dos livros do tipo "vinte mil erros que você deve evitar"...

– É verdade, Emília, eu também tenho notado essa onda, como você diz. Parece que nós, linguistas e educadores, além de brigar com os gramáticos intolerantes, vamos ter de brigar com esses novos "defensores" da língua, esses *comandos paragramaticais*, como eu costumo chamar... O mais curioso é que muitos deles nem têm formação específica em Letras. Os gramáticos tradicionalistas, pelo menos, costumavam ser filólogos, homens muito cultos, profundos conhecedores de latim e de grego, tinham intimidade com a literatura clássica, etc. Muitos desses *paragramáticos* de hoje, porém, são jornalistas, advogados, médicos, etc., que resolveram decorar as gramáticas normativas, reduzi-las ao máximo, eliminando toda a complexidade delas, e sair distribuindo pílulas de "português certo" por aí. Infelizmente, o poder simbólico da norma-padrão mais conservadora garante a esse pessoal muito espaço nos meios de comunicação (além de uma boa grana)... Afinal, eles vão falar o que as pessoas esperam ouvir: que português é muito difícil, que os brasileiros não sabem português (só os portugueses é que sabem), que a juventude está arruinando a língua de Camões e Rui Barbosa, que a invasão das palavras inglesas vai fazer desaparecer a língua portuguesa e toda uma série de mitos completamente infundados, mas que já habitam o imaginário das pessoas. É por isso que estou com esse projeto de escrever um livro sobre as variedades não padrão do português, para ver se consigo mostrar alguma coisa diferente do blá-blá-blá gramatiqueiro que anda por aí...

– Parece que a Vera tem razão: existe mesmo uma guerrinha nesse campo, não é? – arrisca Sílvia.

– Pode se dizer que sim – responde Irene. – O que acontece é que a gramática tradicional, do modo como foi estabelecida pelos sábios da Antiguidade, antes de Cristo, vigorou sozinha e soberana durante mais de dois mil anos no Ocidente. Seus postulados, que no início eram especulações filosóficas, acabaram sendo consagrados como verdadeiros dogmas, que deviam ser obedecidos e seguidos à risca, sem contestação. Foi somente no início do século xx que apareceu a Linguística como ciência. No entanto, apesar de tão jovem, ela já conseguiu abalar o prestígio da gramática tradicional.

Mas não o suficiente para modificar na raiz as concepções tradicionais de "certo" e "errado" nem os métodos antigos de ensino da língua. Ainda existe, na sociedade em geral, uma cobrança muito grande para que os professores continuem "ensinando gramática" do mesmo modo como se ensinava nas gerações passadas, com a mesma nomenclatura, o mesmo tipo de exercícios, os mesmos preconceitos contra a variação e a heterogeneidade linguística.

Sim, mas... e o vestibular?

– E não é à toa, Irene – intervém Emília. – Se não ensinarmos esse monte de velharias, nossos alunos mais tarde não vão ter sucesso no vestibular nem nos concursos públicos, que têm provas de português com questões completamente absurdas. Outro dia mesmo eu vi uma prova de um vestibular que pedia ao candidato para assinalar a forma certa: "desinteria", "disenteria", "desenteria", "disinteria", "disintiria" e não sei que mais... Agora eu pergunto: saber a grafia correta dessa palavra prova alguma coisa? Saber como se escreve DISENTERIA significa que a pessoa sabe fazer bom uso dos recursos da língua, transmitir suas ideias, comunicar-se, interagir por meio da fala ou da escrita, influenciar seus ouvintes e assim por diante? Por essa questão é possível avaliar se o candidato é capaz de elaborar um discurso coeso e coerente? Ora, faça-me o favor...

– Infelizmente, Emília, você está certa – diz Irene. – Por mais que a gente tente inovar o ensino de língua, sempre aparece alguém para nos lembrar: "Sim, mas, no vestibular..." Aliás, esse é o grande argumento, o grande trunfo dos *paragramáticos*. É o que rende a eles boa aceitação de seus produtos gramatiqueiros. No dia em que os vestibulares desaparecerem ou se transformarem, no dia em que os concursos públicos forem elaborados com um mínimo de sensibilidade, eles talvez fiquem sem emprego...

– Sensibilidade é a palavra, viu, Irene? – comenta Sílvia. – Sensibilidade, empatia, solidariedade... Eu às vezes tenho a impressão que os elaboradores desses concursos trabalham pensando assim: "O que eu posso fazer para reprovar o maior número possível de candidatos?" E saem inventando questões cheias de ambiguidades, montando armadilhas tão complicadas que às vezes nem professores universitários com grau de doutor conseguem decifrar. Já vi provas de português para concursos públicos de jardineiro, cozinheira, zelador com questões mais absurdas ainda que essa que a Emília citou, da disenteria... Parece até que é preciso ter uma dose de sadismo para trabalhar nisso...

– O problema é que nós, professores de língua portuguesa, somos muito apáticos – diz Vera. – Pelo menos é o que eu sinto... Somos tantos no Brasil inteiro, mas não fazemos nada para nos organizar, para fazer ouvir nossa opinião. Se tivéssemos essa organização, poderíamos simplesmente desqualificar uma prova que tivesse esse tipo de questão pré-histórica e exigir que fosse anulada e reelaborada, não é?

Irene vai fazer algum comentário quando Eulália entra na sala e diz:

– Gente, eu achei que só ia ter aula de noite... Eita bando de menina viciada em estudar, meu Deus! Até esquece a hora do almoço...

De fato, já passa de meio-dia e meia, e só agora todas percebem que têm fome.

– Essa aula da manhã não estava prevista, não é mesmo, Irene? – diz Emília enquanto caminham em direção à casa. – Se a Sílvia não tivesse levantado a lebre, você ia tratar de outra coisa, e só de noite, não é?

– É bem provável... Mas eu gosto muito quando alguém pede para mim explicar alguma coisa que eu não tinha pensado antes – responde Irene, apressando o passo para ir dizer alguma coisa a Eulália, que está um pouco mais adiante, e deixando Emília plantada no meio do quintal, meio incrédula. Mas ela logo sorri e pensa: "Essa Irene acha que pode me pegar, mas eu não caio tão fácil assim... *Para mim explicar*... Essa é boa..."

ÍNDIO, SIM, COM MUITO ORGULHO
– uso do pronome MIM como sujeito de infinitivos –

Depois do almoço, onde se continuou a falar dos temas da aula da manhã, as amigas se dispersam. Emília vai com Eulália fazer compras no supermercado. Vera ajuda Irene a cuidar das plantas no jardim. Sílvia vai pôr no correio uma longa carta que andou escrevendo esses dias para seu namorado, Pedro.

Eulália tem razão. Este "bando de menina" é mesmo viciado em estudar. A aula excepcional da manhã não cancelou a aula normal da noite.

– Alguém sabe do que vamos tratar hoje? – pergunta Irene, dando início às atividades.

– É para mim responder? – replica Emília, enfatizando bem o *para mim*.

Irene cai na gargalhada. Vera e Sílvia se entreolham com ar de quem não está entendendo. Vera pergunta:

– Tem alguma coisa aí que eu não estou sabendo? Perdi alguma piada?

Irene para de rir e explica:

– Piada nenhuma, Verinha. É que a Emília não deixa escapar nada mesmo. Tentei passar a perna nela hoje de manhã usando um *para mim explicar* com toda a naturalidade do mundo, mas ela percebeu que eu estava brincando, e acaba de me dar o troco...

– Então é disso que vamos falar? Do *para mim fazer*? – diz Sílvia.

– Exatamente.

– Bom, antes de mais nada – começa Emília –, acho bom deixar bem claro que, na *minha* opinião...

– ... na minha *modesta* opinião... – ironiza Vera.

– Na minha opinião – continua Emília, lançando um olhar faiscante na direção da amiga –, essa construção já deixou de ser [- culta] há bastante tempo.

– Por que você diz isso, Emília? – interessa-se Irene.

– Porque eu estou cansada de ouvir gente que se diz muito culta usar esse tipo de construção. Advogados, médicos, jornalistas, professores, inclusive professores de português...

– Ai, Emília, não exagera, vai... – queixa-se Sílvia.

– Mas ela tem razão, Sílvia – intervém Vera. – A Matilde mesmo, nossa diretora, vive dizendo "pra mim ir", "pra mim comprar", "pra mim fazer".

– É engraçado, não é? Logo ela que é tão preconceituosa... – retoma Emília. – Diz que fica toda arrepiada quando escuta algum aluno dizer "nós vai" ou "ingrês", mas não arrepia um só fio daquele cabelo loiro falso dela na hora de dizer "para mim ir"...

– Cuidado você também com os preconceitos, hein, Emília... – adverte Irene. – Falar mal das loiras é puro machismo... Além disso, se o loiro dela é falso, qual é o problema, não é? O cabelo é dela, ela faz o que bem quiser com ele. Se ela é preconceituosa em relação a alguns traços linguísticos não padrão e aceita outros sem problema, a gente pode tentar levantar uma hipótese científica para explicar essa atitude diferenciada, em vez de atribuí-la à folclórica "burrice" das loiras em geral...

– Tudo bem, tudo bem... Mas que esse tipo de frase já deixou de ser não padrão, ah, isso já deixou...

– Você só pode fazer uma afirmação categórica desse tipo, Emília, se tiver como comprová-la com dados reais, colhidos em pesquisa de campo e analisados segundo uma metodologia bem criteriosa – diz Irene. – É o caso?

– Bem... não... – engasga-se Emília.

– Então é melhor você suavizar a força dessa afirmação. Que tal usar fórmulas como "me parece que", "tudo indica que", "observações assistemáticas nos levariam a poder supor que"... ? É sempre bom deixar uma margenzinha de dúvida para você mesma. Senão, alguém pode chegar mais tarde com uma pesquisa mais bem feita e desmentir todas as suas afirmações...

– Traduzindo, queridinha: enfie a viola no saco e vamos ouvir quem sabe mesmo das coisas – diz Vera, sorrindo.

Emília, em mais uma homenagem à boneca-personagem de Monteiro Lobato, põe meio palmo de língua para fora. Irene só se diverte.

– Eu também tenho escutado cada vez mais esse tipo de construção – diz Sílvia. – Mas também sinto que os próprios falantes cultos que se servem dela não aprovam muito esse uso.

– Você é sempre muito boa observadora em relação às *atitudes* das pessoas – elogia Irene. – E talvez esteja certa também nesse caso. Quando queremos saber de que maneira os falantes reagem a determinadas formas linguísticas, aplicamos testes que servem para medir a *aceitabilidade* dessas formas. Não sei se já foi feito algum teste em relação ao "para mim fazer", mas é provável que os falantes cultos não aceitem essa construção com tranquilidade, embora muitos a usem diariamente.

– O que será que essa diferença entre uso real e aceitação quer dizer? – pergunta Vera.

– Talvez queira dizer que estamos presenciando uma mudança na língua que ainda não se completou inteiramente. A construção PARA + MIM + INFINITIVO foi passando das variedades [- cultas] em direção às [+ cultas]. Já se insinua na fala de muitos falantes cultos, mas ainda encontra resistências para se incorporar definitivamente às variedades [+ cultas]. Estamos assistindo, neste caso, uma briga entre as pressões que a norma-padrão exerce sobre as variedades [+ cultas] e as pressões que as variedades [- cultas] exercem sobre as [+ cultas] .

– E quem você acha que vai ganhar, Irene? – pergunta Sílvia.

– Tudo vai depender, como vimos hoje de manhã, da força da norma-padrão em impor suas formas de uso da língua. Por enquanto fica difícil prever de quem será a vitória final. Mas a Emília tem mesmo razão: parece que o número de falantes cultos que usam essa construção está aumentando. No mês passado mesmo, estive em São Paulo e percebi três ocorrências dessa construção na fala de pessoas que entrariam na classificação de falantes cultos: uma jornalista, um administrador de empresas e um médico.

– Não estou dizendo? – justifica-se Emília, olhando para Vera.

– Por enquanto, existe uma campanha muito forte da escola e dos paragramáticos contra esse uso. Mas, quem sabe, em gramáticas do final do próximo século as pessoas leiam: "Embora o pronome-sujeito de 1ª pessoa seja *eu*, o uso já consagrou o pronome oblíquo *mim* como sujeito de infinitivo, sempre que vier precedido da preposição *para*, como em: *Para* mim *fazer o que você pediu vou precisar de sua ajuda*. A construção *para* eu *fazer*, prescrita pelas gramáticas até um século atrás, caiu em desuso e causa estranheza aos ouvidos dos brasileiros cultos de hoje"...

– Eu quase ia dizendo "ai, que horror", mas mordi a língua... – diz Vera em voz baixa para Sílvia.

– Nem precisamos aplicar o teste da aceitabilidade em você... – comenta Sílvia, sorrindo.

– Será que esse tipo de construção existe há muito tempo ou é invenção dos brasileiros de agora? – quer saber Emília.

– Parece que a coisa não é tão recente assim, viu, Emília? – responde Irene. – Vocês se lembram do romance *Inocência*, escrito pelo Visconde de Taunay?

– Eu me lembro do filme. O livro eu não li – confessa Emília.

– Pois esse livro foi publicado em 1872, e lá a gente encontra um dos personagens dizendo *para mim atalhar*. E o mais interessante é que o autor, numa nota de rodapé, escreveu o seguinte... – Irene lê algo escrito numa das folhas de papel que espalhou sobre a mesa –: "É este erro comum no interior de todo o Brasil, e sobretudo na província de São Paulo, onde pessoas até ilustradas nele incorrem com frequência".

– Gente! Já em 1872? Então a coisa é velha mesmo... – admira-se Emília.

– Mais velha até do que você pensa – intervém Irene. – O ano de 1872 indica um registro *escrito* da construção... E quando alguma coisa aparece registrada na língua *escrita* é porque já vem sendo usada na língua *falada* há muito tempo...

– Afinal, a língua voa, a mão se arrasta – recorda Sílvia.

Irene sorri e prossegue:

– Nossa tarefa até agora tem sido buscar explicações científicas para fenômenos desse tipo... E é o que vamos tentar fazer com essa sintaxe *ainda* considerada não padrão.

– Você já tem uma explicação definitiva, tia?

– Ainda não, Vera. Mas tenho três hipóteses.

– Vamos a elas, então – incentiva Sílvia.

Cruzamento sintático

– A primeira hipótese tenta explicar essa construção atribuindo-a a um *cruzamento sintático*.
Irene vai até a lousa e escreve:

> (1)   João trouxe um monte de livros para mim.
> (2)   João trouxe um monte de livros para eu escolher.

– Na tentativa de dizer as duas coisas num enunciado só, o falante cruza as duas frases e obtém uma terceira, que é algo assim como uma síntese, um resumo das informações contidas nas duas anteriores:

(1)   João trouxe um monte de livros **para mim**.

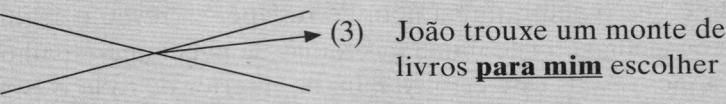

(3)   João trouxe um monte de livros **para mim** escolher

(2)   João trouxe um monte de livros **para eu** escolher

– Realmente, Irene, me parece uma boa explicação – avalia Sílvia. – O resultado da "soma" das duas primeiras frases seria: "João trouxe um monte de livros para mim, para eu escolher", mas aquela tendência que a língua tem à economia, ao enxugamento, leva o falante a dizer as duas coisas de uma vez só. Essa frase (3) deixa bem claro que João trouxe os livros *para mim*, e não para qualquer outra pessoa, e que trouxe *para eu escolher*, e não para eu guardar, vender ou copiar.

– É uma interessante análise pragmática do fenômeno – diz Irene. – Existe até um termo técnico para essa tentativa de resumir duas ideias numa só expressão: *braquilogia*. Temos de levar em conta também que o pronome *mim* é um pronome *tônico*, quer dizer, é uma palavra que soa mais nitidamente quando pronunciada, que se destaca foneticamente dentro do enunciado. Ao usar *mim,* que é tônico, e não *eu,* átono, o falante está dando uma ênfase *afetiva* a seu enunciado, deixando claro, como bem notou a Sílvia, que ele é a pessoa *interessada*, a pessoa de quem se está falando.

Ganha quem chegar primeiro

– E a segunda hipótese, tia?

– A segunda hipótese diz assim: "fica com a vaga quem chegar primeiro".

– Vaga? Mas que vaga? – pergunta Emília.

– Esta aqui, ó...

E Irene escreve na lousa:

> João trouxe um monte de livros para [   ] escolher.

– Na produção desse enunciado, quem aparece primeiro, na fala, é a preposição *para*. Ora, existe uma regra na língua que diz: "depois de preposição, pronome oblíquo". Também existe uma outra regra que diz: "na função de sujeito de um verbo, o pronome deve figurar no caso reto". São duas regras para serem obedecidas. A qual delas o falante vai obedecer? À que veio primeiro, à que foi acionada em primeiro lugar. Uma vez ocupada a vaga conforme a primeira regra, a segunda regra perde a chance de se impor. Estabelece-se uma hierarquia por ordem de chegada. Então o que temos é uma vaga para dois candidatos, ambos exercendo uma pressão para preencher a lacuna:

> João trouxe um monte de livros para [   ] escolher.

– A preposição *para*, por ter chegado primeiro, pôde empurrar para dentro do espaço vago o pronome *mim*, que ela rege. O infinitivo, coitadinho, ficou a ver navios. Resultado:

> João trouxe um monte de livros para **mim** escolher.

– Gente, que delícia! – exclama Emília. – Nunca imaginei a língua nossa de todo dia como uma corrida de cavalos... Ou como aquela dança das cadeiras que a gente faz em aniversário de criança: quando a música para, quem for mais rápido e estiver mais perto da cadeira consegue se sentar nela...

– Eu pessoalmente acredito que as duas explicações reunidas

podem dar conta do fenômeno – diz Irene. – O cruzamento sintático, tentando oferecer uma síntese das informações, e a exigência de obliquidade do pronome por parte da preposição, que chegou primeiro, podem agir ao mesmo tempo para produzir esse tipo de construção sintática. A isso se acrescenta a força *afetiva* que tem o pronome *mim*, graças a seu caráter tônico.

Deslocamentos possíveis

– Mas você disse que tinha uma terceira hipótese, tia. Qual é?
– É a hipótese da generalização da possibilidade de deslocamento...
– Virgem Maria! Que doença terrível será essa? – exclama Emília.
– Nenhuma doença, Emília, é só um nome comprido para uma coisa simples – responde Irene. – Existem situações em que o *para mim* aparece diante de um infinitivo sem que isso constitua um "erro" do ponto de vista da norma-padrão. Observe...

Na lousa a professora escreve:

> (4)   É muito difícil **para mim** fazer isso sozinho.

– À primeira vista, parece que essa frase contém um "erro", não é? Mas é fácil provar que ela não está desrespeitando nenhuma regra da norma-padrão. Basta a gente retirar o PARA MIM do lugar onde ele está e deslocá-lo ao longo do enunciado. Vamos ver que ele se encaixa direitinho em outros lugares:

> (4a)   **Para mim** é muito difícil fazer isso sozinho.
>
> (4b)   É **para mim** muito difícil fazer isso sozinho.
>
> (4c)   É muito difícil fazer isso sozinho **para mim**.

– O que acontece aqui é que o infinitivo *fazer* é o sujeito da oração *é muito difícil*. Mas para quem ouve a frase (4) enunciada num ritmo normal pode parecer que *mim* é que é o sujeito do infinitivo *fazer*... Aqui, o *para mim* tem o sentido de "na minha opinião", "no que me diz respeito". Agora vejam só o que acontece com outro enunciado que usa as mesmas palavras de (4):

(5)   Isso é muito difícil **para mim** fazer sozinho.

– Se tentarmos deslocar o PARA MIM como fizemos em (4), vamos obter o seguinte:

(5a)   ***Para mim** isso é muito difícil fazer sozinho.
(5b)   *Isso é **para mim** muito difícil fazer sozinho.
(5c)   *Isso é muito difícil fazer sozinho **para mim**.

– O que é essa estrelinha na frente das frases? – pergunta Sílvia.
– É o asterisco. Ele é usado em Linguística para indicar que se trata de enunciados *agramaticais*, isto é, que não fazem sentido, que não pertencem à gramática de nenhuma variedade de uso da língua – explica Vera.
– Isso mesmo, Verinha – confirma Irene. – Tanto é que enunciados desse tipo simplesmente nunca são produzidos por nenhum falante de nenhuma variedade, nem as menos cultas. Porque, em (5), é impossível separar o PARA MIM do verbo FAZER. Nesse enunciado, o *para mim* nada tem a ver com "na minha opinião". Os falantes cultos, no entanto, reconhecendo que enunciados do tipo (4) estão de acordo com a norma-padrão, generalizam essa possibilidade de ocorrência de PARA MIM + INFINITIVO e passam a aplicar essa regra em todos os enunciados aparentemente semelhantes. Afinal, a única diferença aparente entre (4) e (5) é o arranjo das palavras, a ordem que elas ocupam no enunciado.
– Talvez você nem precisasse ter ido tão longe nessa última hipótese, Irene – diz Emília.
– Lá vem ela querendo bancar de novo a sabichona ... – murmura Vera para Sílvia.
– Por quê, Emília? – pergunta a professora.
– Porque outro dia eu estava na sala de espera do meu dentista e ouvi a secretária dele dizer uma coisa ao telefone que me deixou na dúvida...

– E o que foi que ela disse?

– Ela disse: "Para mim lembrar de tudo agora fica difícil".

– E qual foi sua dúvida? – pergunta Irene.

– Eu não sabia se ela estava dizendo que *na avaliação dela, no que lhe dizia respeito* era difícil lembrar de tudo, ou se era difícil *ela* lembrar de tudo naquele momento...

– Como nós só temos um lado da conversa telefônica, não podemos interpretar com exatidão o que a secretária estava querendo dizer – explica Irene. – Mas esse é um bom exemplo para explicarmos a ocorrência de PARA + MIM + INFINITIVO.

Ela escreve a frase na lousa.

– Ao contrário dos meus exemplos, neste da Emília nem precisamos mexer no arranjo sintático do enunciado. Do jeito que ele está, podemos mesmo ter duas interpretações. Para ver se a primeira interpretação procede, basta deslocar o PARA MIM e colocá-lo em outros lugares do enunciado.

– "Lembrar de tudo agora fica difícil *para mim*" – experimenta Emília. – Funciona! Então ela *não* errou...

– Mas também funciona analisar esse *mim* como sujeito do infinitivo – diz Vera. – É só a gente substituir o *mim* pelo *eu* da norma-padrão: "*Para eu* lembrar de tudo agora fica difícil". Então ela errou, *sim*...

– Quer dizer que, pela norma-padrão, a secretária errou e acertou ao mesmo tempo... – intervém Sílvia. – Se alguém fosse corrigir o que ela disse, bastava ela deslocar o *para mim* e provar que não havia "erro" nenhum ali.

– É verdade – confirma Irene. – Vejam como os critérios autoritários do *certo* e do *errado* não funcionam com tanta segurança como querem os tradicionalistas... Talvez a secretária quisesse fazer as duas coisas ao mesmo tempo: dar a opinião dela sobre o que o outro interlocutor estava dizendo e exprimir sua dificuldade de se lembrar de tudo naquele momento. Houve o cruzamento sintático, a regra do quem chega primeiro ganha prevaleceu e a generalização da hipótese de deslocamento entrou em ação.

– Só que isso tudo é automático, não é, Irene? – pergunta Sílvia.

– É um processo que não leva mais que um milésimo de segundo.

– Sem dúvida, Sílvia, e aí está a grande maravilha da linguagem, e também seu grande mistério, não é? Como é que as ideias se juntam dentro da cabeça da gente? Como é que o cérebro transforma as ideias em linguagem? E o que vem primeiro: o pensamento ou a linguagem? Como é que a linguagem aciona seus mecanismos, suas regras? E como é que essas regras realizam concretamente, nos sons da fala, aquilo que foi processado na mente?... São questões que intrigam até hoje os cientistas... O certo é que, como você disse, o falante não vai ficar o tempo todo, antes de produzir seus enunciados, verificando as possibilidades de deslocamento de PARA MIM e o significado desse sintagma para depois avaliar se ele pode ou não vir antes do infinitivo. Esse tipo de análise é feito *depois*, por nós, investigadores, que nos interessamos em descobrir as regras de funcionamento da língua. O falante, porém, quer falar e pronto. Se uma determinada construção deu certo, funcionou, cumpriu sua missão num determinado enunciado, não há razão para que não funcione novamente em outros enunciados semelhantes.

Ensinar criticando

– Seria muito mais interessante se, em sala de aula, a gente pudesse explicar as coisas assim – comenta Vera. – Chamar a atenção dos alunos para a complexidade dos fenômenos da língua, em vez de ter um ataque histérico sempre que algum deles diz "para mim fazer"...

– É justamente o que tento sugerir aos professores, quando tenho oportunidade de conversar com eles em seminários, cursos e palestras – diz Irene. – Mas insisto sempre no mesmo ponto: não se trata de "ensinar" as pessoas a usar esse tipo de construção, até porque não é preciso: elas já falam assim... Trata-se de *explicar* o fenômeno, mostrar que ele tem lógica, que também existem regras gramaticais agindo ali, mas que são simplesmente regras de uma *outra* gramática e não da gramática normativa tradicional. Ao mesmo tempo, destacar o *valor social* que é atribuído aos usos linguísticos: *para mim fazer* sofre preconceito, é considerado erro, é estigmatizado... A construção *para eu fazer* goza de prestígio, abre portas... Por isso deve ser ensinada aos alunos. *Ensinada* mesmo, como algo *estranho*, que não pertence à língua materna da maioria deles.

Essa mudança de atitude é muito importante, na minha opinião. Não podemos mais, como ainda é feito, querer simplesmente eliminar da realidade linguística o *para mim fazer*, um esforço totalmente inútil porque cada vez mais gente usa e usará essa construção. Podemos, sim, mostrar que há duas formas em uso, em concorrência, e que cada uma delas tem um valor diferente. Não um valor *linguístico*, porque são duas construções gramaticais perfeitamente lógicas e coerentes. Mas um valor *social* determinado pelo tipo de sociedade em que vivemos. Embora a forma *para mim fazer* seja usada pela ampla maioria da nossa população, essa ampla maioria não tem poder de influência nas decisões políticas, econômicas, educacionais, culturais. Por isso o considerado bom, bonito, certo é o que pertence a uma minoria reduzida de cidadãos. Se assim é, vamos apresentar essa forma linguística elitizada, minoritária, a *todos* os nossos alunos, para que ela não seja usada contra eles no processo perverso de exclusão social baseada no preconceito linguístico. Em suma, sou a favor do ensino da norma-padrão, mas de um ensino *crítico* da norma-padrão, de um ensino que mostre que essa norma-padrão não tem, linguisticamente, nada de mais bonito, de mais lógico, de mais coerente que as variedades usadas pelos falantes menos cultos ou analfabetos. E, ao mesmo tempo, proponho a *valorização dos usos linguísticos não padrão*, sobretudo porque a língua que uma pessoa fala, a língua que ela aprendeu com sua família e com sua comunidade, a língua que ela usa para falar consigo mesma, para pensar, para expressar seus sentimentos, suas crenças e emoções, faz parte da *identidade* dessa pessoa, é como se a língua *fosse* a pessoa mesma...

– Então, Irene, negar valor ao modo como a pessoa *fala* seria quase o mesmo que negar valor ao que a pessoa *é* – conclui Sílvia.

– Sim, e é uma atitude que não tem mais lugar numa época como a nossa, em que se luta tanto pelo respeito aos direitos humanos, em que se tenta combater todo tipo de discriminação e preconceito.

Vamos exterminar os "índios" da linguagem?

– Essa atitude nova que você sugere é o oposto perfeito da prática tradicional de ensino – diz Vera. – Na escola, nas gramáticas normativas e nos produtos paragramaticais que você citou hoje de manhã, o que a gente ouve e lê é sempre a mesma coisa: *"Mim* não faz nada"*. Uma vez até li uma entrevista de um desses senhores paragramáticos onde ele declarava: "Só índio fala *para mim fazer"*...

– Eu também li essa entrevista e fiquei chocada com essa declaração recheada de preconceito – observa Irene. – Como esse senhor percebeu que essa construção sintática já está muito difundida entre falantes cultos, ele tenta acabar com ela acusando esses falantes cultos de agirem como índios, isto é, na concepção preconceituosa dele, como pessoas rudes, brutas, ignorantes...

– É como se ele quisesse exterminar o *para mim fazer* do mesmo modo como os conquistadores do continente americano exterminaram centenas de nações indígenas – comenta Emília, indignada.

– É uma comparação bastante forte – diz Irene –, mas eu entendo a sua raiva, Emília... Aliás, tenho observado que essa é a tática preferida desses paragramáticos: culpar o falante culto de maltratar a língua, baixar a autoestima linguística dele para fazê-lo sentir-se um "selvagem" por não saber aquelas coisas que os paragramáticos oferecem em seus produtos, justificando desse modo a necessidade da existência mesma desses produtos paragramaticais... Enfim, uma estratégia excelente do ponto de vista mercadológico, mas injustificável do ponto de vista pedagógico.

– *Injustificável* é bondade sua... – observa Sílvia.

– O poder simbólico da norma-padrão, que eu citei hoje de manhã, acaba se transformando numa verdadeira *violência simbólica*, como diz o sociólogo francês Pierre Bourdieu... – explica Irene. – Em vez de ser usada como instrumento para a tal "ascensão social", como muita gente ingenuamente pensa ser a função dela, a norma-padrão termina servindo, isso sim, de mecanismo de *exclusão social*, de separação, de segregação. Como escreveu o linguista italiano Maurizzio Gnerre, a norma-padrão serve como um poderoso arame farpado para bloquear o acesso ao poder.

Quem disse que só eu pode fazer?

– Além disso – prossegue Irene –, esse argumento tradicional de que *"mim* não faz nada" está em contradição com regras prescritas pela própria gramática normativa.

– Como assim, tia?

– Veja só: quem diz que *"mim* não faz nada" na verdade está querendo dizer que somente o pronome *eu* pode exercer a função de sujeito. Ora, vamos ver se isso acontece de fato...

Irene escreve na lousa:

(6)   Deixa-me ver isso!

(7)   Por que você não foi me ver jogar?

(8)   Eu não gosto que me mandem fazer esse tipo de coisa.

– Em todos esses exemplos, qual é o sujeito dos infinitivos? – pergunta Irene.

Emília, Sílvia e Vera observam a lousa com atenção. Em seguida, Vera diz:

– O sujeito desses infinitivos todos é o pronome *me*.

– Exatamente.

– Vejam só que delícia! – exclama Emília. – Eu nunca tinha reparado nisso: *Mim* não faz nada, mas *me* faz...

– Pois é, Emília, é isso mesmo – confirma Irene. – Nos enunciados que contêm os verbos *mandar*, *fazer*, *sentir*, *deixar*, *ouvir* e *ver* seguidos de infinitivo, a gramática normativa exige que se use um pronome oblíquo para ocupar o lugar de sujeito do infinitivo.

– Mas isso é uma contradição, tia, já que o pronome-sujeito de 1ª pessoa é *eu*. A forma *me* só é usada na função de objeto.

– Aí é que está o mais interessante – diz Irene. – Em enunciados como (6), (7) e (8) ocorre, mais uma vez, uma pequena briga pela vaga. Os verbos *mandar*, *fazer*, *sentir*, *deixar*, *ouvir* e *ver* pedem um objeto direto, enquanto o infinitivo pede um sujeito. A palavrinha que vier a ocupar a vaga vai ter uma dupla função sintática: objeto direto do primeiro verbo, sujeito do segundo. Como o português procede do latim, e como em latim essa palavrinha era um pronome oblíquo, um pronome *acusativo* como se chama na gramática latina, então a nossa gramática normativa também cobra que essa vaga seja ocupada por um pronome oblíquo. Daí o *me*. Por isso não há motivo para dizer que só *eu* pode exercer função de sujeito: o *me* também pode.

– Mas, Irene, em frases desse tipo me parece muito mais comum a gente usar o pronome *eu* do que o pronome *me* – comenta Sílvia. – Eu mesma, por exemplo, digo com muito mais naturalidade "deixa eu ver" do que "deixa-me ver".

– "Deixa-me ver", aliás, me cheira a puro exibimento, a coisa de gente que quer se mostrar, que quer deixar claro que fala o "português da Rainha", que não quer se misturar com a plebe, com os "índios"... – avalia Emília.

– Esse é mais um exemplo da competição entre duas formas linguísticas diferentes – retoma Irene –: a primeira, conservadora, prescrita pela norma-padrão, e a segunda, inovadora, fruto das mudanças inevitáveis da língua em seu uso efetivo, real. Vamos ver o que está acontecendo...

Irene escreve na lousa:

> (6a) Deixa-**me** ver isso!
>
> (6b) Deixa **eu** ver isso!

– Conforme eu disse antes, a palavrinha que vier a ocupar a vaga será objeto direto do primeiro verbo e sujeito do segundo. A gramática tradicional, com os olhos voltados para o passado da língua, impõe o uso do pronome *me*, porque era assim em latim. A gramática do português do Brasil, que está sofrendo um processo de afastamento gradual e contínuo em relação à gramática do português de Portugal e, mais ainda, é claro, em relação à gramática latina, decidiu-se pelo uso do pronome-sujeito *eu* para exercer as duas funções.

– Parece uma simples questão de escolha, não é? – observa Sílvia. – Já que não existe uma única forma pronominal para exercer as duas funções, e já que existem duas formas diferentes de pronome à disposição, cada uma das gramáticas escolhe a sua...

– Só que eu gostaria de saber o que é que determina essas escolhas – intervém Vera. – Afinal, tia, no caso do *para mim fazer*, você falou da hierarquia das regras, que ganhava a vaga quem chegasse primeiro, etc. Ora, neste caso o verbo *deixar* chega primeiro. Se é um verbo que pede objeto, a gente devia esperar que o pronome tivesse sua forma oblíqua, de objeto. No entanto, a gramática brasileira escolheu o pronome-sujeito *eu*. Como explicar essa escolha?

– Essa escolha pode ser explicada por uma regra que, neste caso específico, é mais forte do que a ordem de chegada, uma regra que se sobrepõe a ela, na hierarquia das regras... As pesquisas estão mostrando que uma das principais diferenças entre o português do Brasil e o português de Portugal está no tratamento dado ao sujeito e ao objeto das orações. No Brasil, a tendência é *enunciar foneticamente o sujeito e apagar o objeto*. Em Portugal, é justamente o contrário: apaga-se o sujeito, enuncia-se o objeto. Vamos imaginar a seguinte pergunta:

(9)   Quem já foi ver o filme novo do Almodóvar?

Imaginemos agora duas respostas, entre as muitas possíveis:

(9a)   **Eu** vi ontem.

(9b)   Vi-**o** ontem.

A resposta (9a), com seu sujeito explícito e seu objeto apagado, tem muito mais probabilidade de ser enunciada por um brasileiro. Já a resposta (9b), com seu sujeito apagado e seu objeto explicitado, tem mais chance de ocorrer na fala de um português, ainda mais com o uso do pronome o, que praticamente já desapareceu da fala dos brasileiros. Cada uma das gramáticas, por diversos motivos, opta por apagar um dos termos da oração e explicitar o outro. Essa *preferência brasileira pela realização fonética do sujeito e pelo apagamento do objeto* é que comanda o aparecimento do pronome *eu*. Por isso, Verinha, no momento de preencher a vaga, nós escolhemos ocupá-la com um pronome-sujeito que vai exercer as duas funções – "Deixa *eu* ver" – em vez de ocupá-la com um pronome-objeto – "Deixa-*me* ver" – como a gramática normativa cobra da gente, só porque é assim que os portugueses falam, do outro lado do Atlântico, a dez mil quilômetros daqui...

– O *deixa eu* já é tão automático na nossa fala que ele se transformou em *xô*, não é, Irene? – comenta Sílvia. – A gente diz mesmo é *xovê* e não "Deixa eu ver", muito menos "Deixa-me ver". Fico pensando num estrangeiro que tenha aprendido português no país dele, só com a gramática normativa. Quando chega aqui, coitado, fica ouvindo *xovê* a toda hora, mesmo que o céu esteja muito limpo, sem previsão nenhuma de chuva...

– É verdade – intervém Emília. – A gente tem até aquela brincadeirinha de dizer: "Se chover, molha", quando alguém pede para ver alguma coisa que está com a gente, dizendo: *Xovê*... Aposto que os gramatiqueiros acham que isso também é "língua de índio"...

– Esse tipo de *contração* acontece quando uma expressão é muito usada, muito frequente na fala – explica Irene. – A palavra *embora*, por exemplo, originou-se da contração de *em boa hora*. Mal dá para acreditar também que o nosso *você* um dia já foi *Vossa Mercê*. Aliás, a contração não parou em *você*, já que é muito comum a gente usar apenas a sílaba *cê*...

– *Cê* veja como são as coisas... – graceja Emília.

– Em francês acontece algo semelhante com a oração "*Je ne sais pas*", que significa "Eu não sei" – diz Irene. – Os franceses reduziram essas quatro sílabas a duas, pronunciadas *xepá*. No inglês americano a oração "*I have got to...*" ("eu tenho de...") se contraiu em "*I gotta...*".

– Não é à toa que os gramáticos e os paragramáticos se desesperam tanto – comenta Sílvia, sorrindo. – Nós, brasileiros, somos mesmo uns rebeldes, não? Onde devíamos dizer *eu*, dizemos *mim*. Onde devíamos usar *me*, usamos *eu*. Onde devíamos dizer "*Deixa-me ver*", dizemos "*xovê*"... É ou não é para arrancar os cabelos?

– Daí a importância que eu atribuo à formação contínua, ininterrupta do professor de português – diz Irene. – Não dá mais para ficar parado no tempo, agarrado à gramática normativa e aos dogmas tradicionais, lamentando a "ruína", a "corrupção", a "decadência" da língua portuguesa. É preciso que o professor de português se apodere do instrumental teórico que a ciência linguística pode lhe oferecer e transforme isso em prática de ensino. É fundamental que ele esteja sempre a par do que está acontecendo em termos de investigação, de pesquisa, de avanço teórico no seu campo de estudo. Participar de congressos de especialistas, acompanhar tanto quanto possível o ritmo das publicações de artigos, revistas, monografias, livros, teses etc. Se não fizer isso, vai acabar se transformando num mero papagaio repetidor da doutrina tradicional, cheia de contradições e incoerências, e se deixando engambelar pelos vendilhões do templo gramatiqueiro, que tentam nos convencer de que só eles podem salvar o português do desaparecimento...

Irene apaga a lousa, esfrega as mãos para tirar o pó de giz que há em seus dedos, reúne seus papéis. Percebe então que as três jovens estão olhando muito fixamente para ela.

– O que foi? – pergunta a professora, intrigada.

– Acabou? – quer saber Vera.

– Acabou – responde Irene.

– Que pena! – exclama a sobrinha, em tom melancólico.

– Mas vocês vão mesmo embora amanhã, Verinha, não íamos ter mais como continuar nosso "curso". Além disso, já esgotei o material do meu livro...

As três "alunas" assumem um ar visivelmente tristonho. Para animá-las, Irene propõe:

– A não ser que...

Elas logo se interessam e os olhos brilham.

– A não ser que vocês queiram fazer uma "prova" – sugere Irene, sorrindo. – Afinal, depois de um curso intensivo como este, eu preciso saber o que foi que ficou na cabecinha de vocês...

– E como vai ser essa prova? – interessa-se Emília.

– É claro que não vai ser uma "prova" tradicional, não é? – diz Sílvia. – Afinal, você não é uma professora tradicionalista...

– Graças a Deus, não! – sorri Irene. – Acho prova a coisa mais tola que já inventaram na escola. Existem oitocentos milhões de outras maneiras de você avaliar o conhecimento dos alunos, todas elas muito mais interessantes e eficazes que prova...

– Concordo plena e irrestritamente! – diz Emília.

– Mas, afinal, tia, em que é que você está pensando?

– Uma coisa muito simples, mas divertida – responde Irene. – É o seguinte. Eu vou dar para vocês um texto escrito numa variedade de português não padrão. Vocês vão lê-lo, analisá-lo e ver se encontram nele exemplos dos fenômenos que nós estudamos aqui. Depois de tantas explicações e teorias, acho que seria bom se vocês pudessem, como se diz, "pôr a mão na massa". Topam?

Elas dizem em coro que sim.

– Então vamos até lá no meu escritório para eu tirar as cópias.

PONDO A MÃO NA MASSA

Hoje, último dia das férias, as três hóspedes de Irene despertam cedo. Assim foi combinado, para que possam aproveitar a manhã para fazer o exercício que Irene lhes propôs ontem. À tarde, a professora vai "corrigir" a "prova" e às oito horas da noite elas tomam o ônibus para São Paulo.

O texto que Irene lhes ofereceu para a análise é, na verdade, um poema escrito pelo poeta sertanejo Antonino Sales.

Melancolia do corpo e da alma

Depois de lerem e relerem juntas o poema, Emília, Vera e Sílvia discutem entre si os diversos aspectos que lhes parecem os mais relevantes para a análise pedida por Irene. Estão muito animadas com a tarefa: sublinham palavras, põem suas ideias por escrito, consultam suas anotações.

Por volta das três horas, conforme o combinado, reúnem-se todas na "escolinha" para a última "aula" daquelas férias.

Irene abre a conversa perguntando:

– E então? Conseguiram descobrir muita coisa?

– Muita – responde Vera.

– E por onde querem começar?

– Que tal começar pelo título? – propõe Sílvia. – Nós entendemos que *malinculia* é, em português-padrão, MELANCOLIA, mas não sabemos como explicar essa transformação.

– Então vamos lá – anima-se Irene. – Realmente, esse título é muito interessante. Como a Sílvia disse, *malinculia* é a forma não padrão de MELANCOLIA. Esta é uma palavra que tem uma história que vale a pena contar. Para começar, MELANCOLIA é "grego puro". É formada de *melan*, "negro, preto, escuro, sombrio", mais *kholê*, "bile". A bile (ou bílis), como vocês se lembram das aulas de Biologia, é aquele líquido viscoso e esverdeado produzido pelo fígado e que ajuda na digestão. MELANCOLIA, para os gregos antigos, é um estado doentio, é estar com a "bile preta".

MALINCULIA
Antonino Sales

1 Malinculia, Patrão,
2 É um suspiro maguado
3 Qui nace no coração!
4 É o grito safucado
5 Duma sodade iscundida
6 Qui nos fala do passado
7 Sem se torná cunhicida!
8 É aquilo qui se sente
9 Sem se pudê ispricá!
10 Qui fala dentro da gente
11 Mas qui não diz onde istá!
12 Malinculia é tristeza
13 Misturada cum paxão,
14 Vibrando na furtaleza
15 Das corda do coração!
16 Malinculia é qui nem
17 Um caminho bem diserto
18 Onde não passa ninguém...
19 Mas nem purisso, bem perto,
20 Uma voz misteriosa
21 Relata munto baxinho
22 Umas história sodosa,
23 Cheias de amô e carinho!
24 Seu moço, malinculia
25 É a luz isbranquiçada
26 Dos ano qui se passô...
27 É ternura... é aligria...
28 É uma frô prefumada
29 Mudando sempre de cô!
30 Às vez ela vem na prece
31 Qui a gente reza sozinho.
32 Otras vez ela aparece
33 No canto dum passarinho,
34 Numa lembrança apagada,
35 No rumance dum amô,
36 Numa coisa já passada,
37 Num sonho que se afindô!
38 A tá da malinculia
39 Não tem casa onde morá...
40 Ela veve noite e dia
41 Os coração a rondá!
42 Não tem corpo, não tem arma,
43 Não é home nem muié...
44 E ninguém lhe bate parma
45 Pru caso de sê quem é!
46 Ela se isconde num bejo
47 Qui foi dado há muntos ano...
48 Malinculia é desejo,
49 É cinza de disingano,
50 Malinculia é amô
51 Pulo tempo sipurtado,
52 Malinculia é a dô
53 Qui o home sofre calado
54 Quando lhe vem à lembrança
55 Passages da sua vida...
56 Juras de amô... isperança...
57 Na mucidade culhida!
58 É tudo o que pode havê
59 Guardado num coração!
60 É uma historia que se lê
61 Sem forma de ispricação!
62 Pruquê inda vai nacê
63 O home, ou mermo a muié,
64 Capacitado a dizê
65 Malinculia o qui é!!!

– Ai, que feio! – exclama Emília. – Sempre achei essa palavra tão bonita, um sentimento tão romântico, e vêm esses gregos estragar tudo...

– Mas o que tem a ver estar com a "bile preta" e sentir melancolia? – quer saber Vera. – Afinal, melancolia não é "tristeza, saudade, depressão"?

– Justamente – responde Irene. – Acontece que os antigos médicos gregos (Hipócrates, lembram-se dele, o "pai da Medicina"?) acreditavam que o nosso corpo, quando doente, produzia determinados líquidos, chamados *humores*, que afetavam o estado emocional da pessoa. Um desses supostos líquidos, produzido pelo fígado, seria essa "bile preta" (*melankholê*), que deixaria a pessoa triste, cabisbaixa, saudosa, deprimida. Enfim, um mau *humor*...

– Quer dizer que as expressões "bom humor" e "mau humor" vêm daí também? – admira-se Sílvia.

– Exatissimamente – confirma Irene. – Com o tempo, porém, se descobriu que essa tal "bile preta" nunca existiu, era pura fantasia dos médicos gregos. Mas a palavra *melancolia* já tinha criado raízes na língua e continuou viva, indicando este estado de espírito, mesmo depois que aquela crença na existência de uma "bile preta" foi abandonada. Os latinos chegaram até a criar uma palavra própria, tradução direta do grego: *atrabílis*, de *atra*, "preta", e *bílis*. Daí vem o horroroso adjetivo português *atrabiliário*.

– Muito interessante essa transformação do sentido da palavra – comenta Sílvia. – Antes designava uma sensação física, uma suposta doença do corpo, e depois passou a designar um sentimento, uma doença da alma...

– Você tem toda razão – diz Irene. – E é curioso como existem várias outras palavras que marcam essa mesma suposta relação entre doença do corpo e determinado estado emocional...

– É mesmo? Quais? – interessa-se a estudante de Psicologia.

– Veja por exemplo *cólera*, que é uma doença terrível e também um estado de ira, de raiva. A própria *raiva*, que é a doença transmitida pelos animais domésticos... Quem pega a doença fica *raivoso*, isto é, enfurecido... A pessoa *dengosa*, originalmente, era a pessoa acometida de *dengue*, doença transmitida por um mosquito e que deixa a pessoa "mole".

– Gente do céu! – exclama Emília. – Nunca mais deixo ninguém me chamar de "dengosa"...

Irene sorri e prossegue:

– Estar *agoniado*, que hoje significa "aflito, angustiado, penalizado", vem do grego *agonia*, "luta contra a morte", um termo médico usado para descrever "o conjunto de fenômenos que aparecem na fase final de doenças agudas ou crônicas e anunciam a morte"... A *náusea* pode ser física ou emocional, o mesmo acontecendo com o *nojo* e o *enjoo*, embora essas palavras tenham surgido primeiro para designar sensações meramente físicas. E o mesmo vale para *desgosto*, onde a presença do *gosto* deixa bem clara a relação entre *sentido* (físico) e *sentimento* (moral). Aliás, o mesmo verbo *sentir* serve para indicar a *sensação* física e o sentimento da alma...

– Sabe o que é que tudo isso prova? – intervém Sílvia. – Que é impossível separar *corpo* e *alma*, embora muitas escolas filosóficas e religiosas ocidentais tenham tentado... O que afeta o corpo também afeta o espírito e vice-versa...

– Estou vendo que teremos uma excelente psicóloga daqui a algum tempo – diz Irene, sorrindo.

– Mas voltando ao nosso título – intervém Vera. – Como foi que MELANCOLIA se transformou em *malinculia*?

– A forma padrão MELANCOLIA tem diversos equivalentes na língua não padrão – responde Irene. – *Malinculia, malincunia, malencolia, malinconia*. Esta última forma, *malinconia*, curiosamente é a forma oficial, padrão, do italiano moderno, língua que também registra as mesmas outras formas do PNP, classificadas de "regionais" pelos dicionários italianos. A forma derivada diretamente do grego, MELANCOLIA, existe na língua dos nossos avós italianos, mas é considerada de uso exclusivamente "literário".

– Que engraçado! – comenta Vera.

– As formas que hoje sobrevivem no PNP são arcaísmos, quer dizer, formas que eram utilizadas antigamente mesmo na língua culta e que foram substituídas por outras formas mais próximas do original grego.

– O que aconteceu para que houvesse tantas formas diferentes para MELANCOLIA, tanto em português quanto em italiano? – quer saber Vera.

– Para começar – responde Irene –, houve uma troca de L por N, que é um fenômeno muito comum. Estas duas consoantes são "parentes próximas", são *dentais*, como vimos alguns dias atrás, e o fato de serem produzidas, dentro da boca, em pontos muito próximos um do outro faz com que acabe havendo trocas de uma pela outra. Veja, por exemplo, o latim LIVELLU, que deu em português padrão NÍVEL e em francês padrão NIVEAU. O árabe NARANJA deu a nossa LARANJA. Existe, na língua portuguesa literária, a palavra ALIMÁRIA que provém do latim ANIMALIA: aqui também aconteceu a rotacização L > R.

– Isso também aconteceu com a palavra ALMA, não é? – pergunta Sílvia. – Afinal, em latim se dizia ÁNIMA.

– Exato – confirma Irene. – Primeiro ÁNIMA se reduziu a ÁN'MA, com a tendência a reduzir em paroxítona as proparoxítonas, como já estudamos também. Depois, houve a permuta do N pelo L, para que a palavra se enquadrasse melhor na índole da língua portuguesa, que não aceita bem o encontro NM.

– Agora estou entendendo por que o nome da zeladora da escola é ALICE e todo mundo chama ela de *Nicinha*... – diz Emília. – Ela também diz o *liforme* em vez de UNIFORME, e *lebrina* em vez de NEBLINA. E deve ser também isso que explica por que as criancinhas dizem *ilimigo* em vez de INIMIGO.

– Bem lembrado, Emília – cumprimenta Irene. – No caso do título do nosso poema, a palavra MELANCOLIA também apresenta uma grande quantidade de sons vocálicos diferentes, que acabam fazendo combinações diversas, numa grande variação harmônica, como discutimos ao tratar do sotaque paulistano. Reparem que essa mesma combinação vocálica está presente, no poema, nas palavras *safucado* (v. 4), *iscundida* (v. 5), *cunhicida* (v. 7), *furtaleza* (v. 14), *aligria* (v. 27), *rumance* (v. 35), *veve* (v. 40), *disingano* (v. 49), *sipurtado* (v. 51), *mucidade culhida* (v. 57). Parece que as palavras "compridas", como MELANCOLIA, estão mais sujeitas a estes intercâmbios de vogais. No português antigo o nome BARTOLOMEU tinha a forma *Bertolameu*, e JERÔNIMO era *Jirólimo*, onde vemos de novo a troca do N por L. Aliás, em italiano, JERÔNIMO é GERÓLAMO, nome do meu avô materno.

Análise do poema

– Quero ver agora o que vocês descobriram no poema – diz Irene.

– Uma coisa que eu notei, e que já tenho reparado também na fala de muita gente, é a eliminação do R final, como aparece aqui em *ispricá* (v. 9), *frô* (v. 28), *cô* (v. 29), *amô* (v. 35), *dô* (v. 52), *havê* (v. 58), *nacê* (v. 62), *muié* (v. 63) – observa Sílvia.

– Isso talvez se explique pela tendência que a língua portuguesa tem de terminar toda palavra sempre com uma vogal – sugere Irene.

– Aquela história da rotacização do L que a gente viu nas primeiras aulas está bem marcada aqui – diz Vera. – É uma tendência muito antiga na língua e o poema dá muitos exemplos dela: *ispricá* (v. 9), *frô* (v. 28), *ispricação* (v. 61). Também nas palavras *arma* (v. 42) para ALMA, e *parma* (v. 44) para PALMA.

– Este é um tipo de rotacismo diferente daquele que vimos – explica Irene. – Mas ele agiu, por exemplo, na transformação do árabe AL-MAKHAZAN no português padrão ARMAZÉM.

– No verso 5 aparece a palavra *sodade* – diz Emília –, que você nos apresentou. E no verso 22 temos *sodosa*. Outras reduções do ditongo OU em *ô* aparecem em *passô* (v. 26) e *otras* (v. 32), além das formas *paxão* (v. 13), *baxinho* (v. 21) e *bejo* (v. 46), que podemos explicar como efeitos da assimilação.

– Muito bem – comemora Irene. – E a questão dos plurais redundantes?

– A eliminação dos plurais redundantes está bem demonstrada no poema – responde Sílvia. – Temos *das corda do coração* (v. 15), *umas história sodosa* (v. 22), *dos ano qui se passô* (v. 26), *às vez* (v. 30), *otras vez* (v. 32), *os coração a rondá* (v. 41), *há muntos ano* (v. 47).

– A famosa desnasalização da sílaba postônica – diz Vera olhando de soslaio para Emília – aparece nos versos 43 e 63 (*home*) e no verso 55 (*passages*).

– A palavra *muié*, que aparece nos versos 43 e 63, me fez lembrar de toda aquela história sobre a Revolução Francesa e tudo mais... – diz Sílvia.

– Eu tenho dúvidas sobre o caso da palavra *prefumada* (v. 28) – diz Vera. – Não me lembro de termos estudado esse fenômeno.

– E de fato não estudamos – confirma Irene. – Mas a explicação é simples. O português herdou do latim os prefixos *pre-*, *per-* e *pro-*, que tinham usos bem definidos em latim, mas que acabaram se confundindo em português. Nos inícios da nossa língua, estes prefixos foram usados indiscriminadamente na formação de palavras, criando formas paralelas como *perguntar* e *preguntar*. Com o tempo, o vocabulário foi sendo regulado oficialmente, foi sendo *padronizado*, e certas formas foram eleitas como as "certas" em detrimento das outras. A forma *perguntar*, por exemplo, que é a "certa" hoje em dia, deriva, na verdade, de um latim *precunctare*, mais próximo, portanto, da suposta forma "errada", não padrão, *preguntar*, que, por sinal, é a forma "certa" do espanhol padrão...

– Meu Deus, que rolo! – exclama Emília.

– Essa flutuação no uso dos prefixos é o que explica a forma *prefumada*, e também várias formas não padrão como *precurar/ percurar*, *prefessora*, *projudicar* entre outras. Reparem que a língua padrão conservou duas formas derivadas de *seguir*: PERSEGUIR e PROSSEGUIR. O francês, para estes dois significados, tem uma palavra só: POURSUIVRE, e o tradutor brasileiro que se vire para saber se é "perseguir" ou "prosseguir"... Além disso, em certas áreas do Nordeste temos a deliciosa palavra *prissiga*, que é o ato de *prissiguir* ("perseguir") alguém, importunando-o, incomodando-o. Neste. caso, o prefixo *pre-* transformou-se em *pri-* por influência do I tônico da raiz *-siga*.

– Irene, é im-pres-sio-nan-te o tanto que a gente pode aprender com os supostos "erros" do português não padrão! – diz Emília.

– É verdade – concorda Sílvia. – Aprendemos a história da nossa norma-padrão, seu funcionamento, e até um pouco de grego e latim, misturado com italiano e francês...

– Sem falar, é claro, de podermos saborear as delícias de um lindo poema popular... – arremata Vera.

A PRIMEIRA SEMENTE
– considerações finais, por enquanto –

Agora que vocês puseram a mão na massa e se saíram tão bem – diz Irene –, eu gostaria de tentar fazer, junto com vocês, uma conclusão geral do nosso "curso". Como eu já tinha avisado no nosso primeiro encontro, o nosso trabalho não mostrou (nem quis, nem poderia mostrar) todas as características que diferenciam as variedades não padrão marginalizadas e vítimas de preconceitos, do português-padrão, norma oficial, prestigiada. A minha esperança é de que alguns princípios essenciais tenham ficado claros e sirvam de apoio para uma nova maneira de encarar as variedades não padrão.

– Que princípios são esses? – pergunta Vera.

– Podemos resumi-los assim – diz Irene, distribuindo a última de suas folhas impressas, onde as três jovens leem:

- a "unidade linguística do Brasil" é um mito: em nosso país, além das línguas indígenas e das línguas trazidas pelos imigrantes, fala-se diferentes *variedades* da língua portuguesa, cada uma delas com características próprias, com diferenças em seu *status* social, mas todas com uma lógica linguística facilmente demonstrável;

- falar *diferente* não é falar "errado";

- tudo o que parece *erro* no PNP tem uma explicação lógica, científica (linguística, histórica, sociológica, psicológica);

- traços característicos do PNP (considerados "erros") se encontram em outras línguas, o que mostra que eles não são uma prova da "ignorância" ou da "deficiência mental" do nosso povo;

- muitos aspectos considerados "errados" no PNP (e no PP do Brasil) são na verdade *arcaísmos*, vestígios da língua portuguesa falada muitos séculos atrás;

> • a língua escrita não deve ser usada como camisa de for-
> ça para submeter e aprisionar a língua falada; a escrita
> é tentativa de representação da língua falada e nasceu
> centenas de milhares de anos depois de o homem ter
> começado a falar.

Irene retoma:

– É claro que poderíamos continuar esta lista, mas acho que estes poucos princípios já servem de base para construirmos uma nova proposta de abordagem e de tratamento dos problemas causados na escola e na vida pelas diferenças entre a norma-padrão e a variedades não padrão.

Semente, flor & fruto

Depois de uma breve pausa, ela volta a falar:

– Descrever toda a gramática do PNP, isto é, todas as regras de seu funcionamento, é uma tarefa difícil e trabalhosa. A minha intenção aqui, com vocês, e também no livro que estou preparando, é bem menos ambiciosa. Eu simplesmente quero deixar claro que o sinal que temos de colocar entre PNP e PP é um sinal de diferença e não um sinal de inferioridade. Parece tão simples, não é? Vejam como é fácil...

Ela vai até a lousa e escreve:

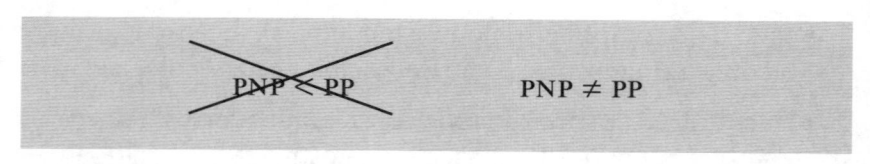

– Mas fazer o X na lousa ou no papel é muitíssimo mais simples do que fazê-lo na consciência, na mente das pessoas. Apagar uma ideia tão arraigada no imaginário coletivo, destruir um mito muito antigo é uma tarefa árdua, complicada, que exige um esforço longo e duradouro.

– Pode contar com a gente – oferece-se Emília.

– Parece que estamos lidando aqui com o problema do preconceito, não é, Irene? – sugere Sílvia.

– Exatamente, Sílvia – confirma Irene. – O preconceito que pesa sobre o PNP faz parte de toda uma triste coleção de inverdades, de distorções, de falácias que povoam a mente da maioria das pessoas, mesmo as supostamente mais bem informadas. Ele está no mesmo porão escuro da nossa imaginação onde se amontoam mitos e preconceitos de toda ordem:

- *racial*: o índio "preguiçoso", o negro "malandro", o japonês "trabalhador", o judeu "mesquinho", o português "burro";

- *sexual*: a inferiorização da mulher, o desprezo pelo homossexual "pervertido e doente", a valorização do "macho" rude e indelicado;

- *cultural*: o conhecimento "científico" valorizado em detrimento do conhecimento "popular" – por exemplo, o desprezo por práticas medicinais naturais e tradicionais em favor de medicamentos químicos industrializados; ou a valorização da cultura transmitida por escrito em detrimento da cultura transmitida oralmente;

- *socioeconômica*: valorização do rico e do poderoso e desprezo do humilde e do oprimido – por exemplo, chamar o nordestino de "atrasado" e o sulista de "progressista"; ou acreditar que tudo o que vem do "primeiro mundo" é intrinsecamente bom, bonito, infalível e necessário...

– Enfim, um monte de bobagens – diz Emília.

– Isso mesmo – retoma Irene. – E é nessa montanha de bobagens, nesse "lixão" que temos dentro da nossa mente, que jogamos a língua falada pelas pessoas diferentes de nós, criando mais uma ordem de preconceito: o preconceito *linguístico*.

– Mas não devia ser assim – intervém Sílvia, em tom emocionado. – A humanidade já passou por experiências terríveis o bastante, principalmente no último século, para começar a aprender que a intolerância, a inflexibilidade, o fanatismo, o desrespeito pelo diferente não levam a lugar nenhum, a não ser à violência e à destruição...

– É claro que não podemos modificar o mundo, transformar a mente de todas as pessoas – prossegue Irene –, mas podemos começar a dar a nossa pequena contribuição, tornando mais claro e respirável o ambiente em que nos movemos diariamente.

– Você tem razão, Irene, é mesmo uma questão ecológica – comenta Emília –, no sentido mais amplo do termo.

– Afinal, gente, basta uma pequena semente para fazer brotar e crescer uma árvore enorme, que dará muita sombra, flores perfumadas e frutos saborosos – retoma a professora. – Quem sabe cada uma de nós não é a generosa jardineira que vai plantar e regar com paciência e amor esta pequena semente?

A PARTIDA

Na rodoviária de Atibaia estão todos reunidos para a despedida. Eulália e Irene, Ângelo e Antônia com os filhos Rosa e Gabriel, além, é claro, de Vera, Emília e Sílvia.

– Estas foram as melhores férias da minha vida, Irene! – diz Emília, abraçando-a com força e beijando-lhe várias vezes o rosto.

– Que exagero, menina! Deixe de ser mentirosa! – replica Irene, sorrindo.

– Mas é verdade, Irene – intervém Sílvia. – Eu, pelo menos, estou saindo daqui completamente diferente de como cheguei.

– Mais gorda, provavelmente – ironiza Emília. – Afinal, com o tempero da Eulália...

– Não seja boba, Emília – diz Sílvia –, você sabe muito bem o que eu quis dizer.

Beijos, abraços, despedidas. O afeto é tão grande que parece que as três estão de partida para algum lugar muito distante e remoto, e não para São Paulo, que fica a pouco mais de uma hora dali.

– Eu tenho uma surpresinha final para vocês – diz Irene, tirando do bolso do vestido um envelope branco.

– O que é, tia? – pergunta Vera, curiosa.

– Recebi hoje à tarde uma proposta de uma editora para publicar o meu livrinho sobre o português não padrão...

– Que maravilha, Irene! – comemora Sílvia.

– Não se esqueça de que queremos ser as primeiríssimas a receber um exemplar – exige Emília –, com uma dedicatória quilométrica e bem melosa, por favor...

– A dedicatória não vai ser problema – diz Irene –, porque ela vai estar impressa em *todos* os exemplares...

– Como assim? – admira-se Sílvia.

– Resolvi dedicar o livro a vocês três – explica Irene. – Afinal, é o mínimo que posso fazer por quem teve tanta paciência em servir de "cobaia" para os meus testes científicos...

As três jovens, visivelmente emocionadas, abraçam Irene com carinho.

– E já sabe como vai se chamar o livro? – pergunta Vera.

– Estou com uma ideia, quero ver o que vocês acham... – responde Irene.

– E qual é? – interessa-se Emília, sempre curiosa. – Infelizmente, não pode ser *Emília no país da gramática*, porque o Monteiro Lobato já escreveu um livro com esse título perfeito...

– Ai, meu Deus, como é metida! – exclama Vera.

Irene percebe que Eulália se afastou um pouco para comprar pipoca com os netos. Aproveita a chance para dizer:

– Quero fazer uma surpresa para a Eulália... Estou pensando em dar ao livro o título de *A Língua de Eulália*... Afinal, foi observando a variedade linguística dela que me veio a ideia de estudar o assunto... O que acham?

– Que ideia mais linda, tia! – comove-se Vera. – Você realmente não existe!

– E o título tem um detalhezinho linguístico interessante, ainda por cima – revela Irene. – O nome Eulália, em grego, quer dizer "a que fala bonito, a que fala bem, a que fala certo". Não é uma delícia?

Eulália e os netos se aproximam para as despedidas. Emília e Sílvia insistem para que todos vão visitá-las em São Paulo.

As três entram no ônibus, que não demora a partir.

Na plataforma da rodoviária, Irene fica acenando com o envelope da editora na mão e um sorriso a iluminar seu rosto.

ASSIM SE PASSARAM DEZ ANOS...

Desde que *A língua de Eulália* teve sua primeira edição, em 1997, muitas coisas importantes aconteceram no campo da educação linguística no Brasil. Uma das mais significativas, sem dúvida, foi a publicação, a partir daquele mesmo ano, dos *Parâmetros Curriculares Nacionais* (PCN), uma coleção de documentos do Ministério da Educação que, no caso específico da disciplina Língua Portuguesa, incorporavam os resultados de muitos anos de reflexão, pesquisa e militância dos estudiosos da linguagem vinculados às nossas universidades mais destacadas. Entre tantos outros conceitos inovadores apresentados pelos PCN, em suas propostas para a renovação do ensino de língua, estava o da *variação linguística*, tratada como fenômeno inerente à própria natureza das línguas humanas, merecedora de uma abordagem cientificamente embasada e sem as distorções socioculturais de que tem sido vítima ao longo da história. O conhecimento seguro e sereno dos fenômenos de variação é, de fato, nossa principal arma na luta contra o *preconceito linguístico*, tão fortemente entranhado na cultura ocidental e com consequências ainda mais perversas em sociedades como a brasileira, rigidamente hierarquizada e com índices alarmantes de exclusão social e de péssima distribuição de renda. Assim, numa coincidência que revela muito do que ocorria no mundo acadêmico e nas políticas oficiais de ensino naquele momento, *A língua de Eulália* trazia um discurso de revelação, explicação e denúncia do preconceito linguístico semelhante ao que vinha estampado nos PCN, muito embora o livro tenha sido produzido de modo independente, sem que o autor tivesse conhecimento de que aqueles documentos estavam sendo gestados.

Outra política educacional que também provocou um grande impacto na sociedade brasileira nesse período foi o Programa Nacional do Livro Didático (PNLD), por meio do qual o Ministério da Educação avalia, compra e distribui livros didáticos das diferentes disciplinas para os alunos das escolas públicas de todo o território nacional. Para se adequar às exigências do programa, de modo a ter seus livros aprovados e adquiridos pelo governo, autores e editores se viram obrigados a abandonar concepções obsoletas e práticas ultrapassadas e a incorporar, na disciplina que nos interessa, um tratamento dos fenômenos linguísticos que levasse em consideração os avanços das ciências da linguagem e da educação, deixando de lado a ideologia prescritiva, normativa, repressora e, no fim das contas, excludente e preconceituosa que sempre caracterizou o ensino de língua no Brasil. Uma rápida comparação das obras dos mesmos autores e com título idêntico em suas edições anteriores e posteriores ao PNLD revela o espantoso salto de qualidade que deram os livros didáticos de português nos últimos dez anos.

Junto com os PCN, o PNLD fez entrar na linguagem cotidiana da escola brasileira todo um vocabulário novo que reflete aqueles avanços: *gênero textual*, *análise do discurso*, *intertextualidade*, *pragmática*, *análise da conversação*, *coesão e coerência*, *oralidade*, *letramento*, *variação linguística*, *semiótica*, *linguística textual*, entre tantos outros. O impacto foi tão profundo que até hoje, passada uma década, essas ideias ainda representam, para muitos setores da sociedade, uma novidade absoluta, uma verdadeira subversão do que se entendia (e se entende, nesses setores) por "ensino de português".

Esse sentimento de espanto e de quase incredulidade se verifica, por exemplo, nos grandes meios de comunicação, onde, quase sempre, o que se diz a respeito de língua e de ensino de língua é um amontoado de equívocos, de distorções das novas propostas e, infelizmente, de reforço das concepções preconceituosas que linguistas e pedagogos vêm tentando combater. Quando confrontados com essas novas ideias (não tão novas, afinal, já que circulam há pelo menos um quarto de século no ambiente acadêmico e pedagógico), muitos agentes da grande mídia, surpreendidos com a própria ignorância e feridos em seu narcisismo, preferem fazer pouco caso das inovações, depreciá-las, condená-las sem nenhum conhecimento de causa e continuar sua propagação de uma ideologia linguística arcaica e discriminadora.

Com isso se abre um verdadeiro abismo entre, de um lado, as políticas oficiais de ensino, a produção editorial de materiais didáticos e a pesquisa científica nas boas universidades e, do outro, o discurso purista e repressor que a grande mídia veicula quase diariamente em colunas de jornal e revista, programas de rádio e televisão, *sites* da internet etc. Alguns estudiosos já tentaram ver nessa postura da mídia uma *reação* das forças conservadoras (que controlam os grandes meios de comunicação) à *ação* inovadora representada por todo esse conjunto de políticas oficiais e de militância de intelectuais e outros agentes em favor de uma sociedade menos injusta e mais inclusiva. A língua (na verdade, um ideal de língua, um modelo semiartificial que não representa de fato o uso de nenhum segmento social) sempre foi um poderoso instrumento de dominação simbólica, um bem supostamente reservado a uma pequena parcela de privilegiados – retirar esse instrumento das mãos de uns poucos e transformá-lo num bem acessível a todos os cidadãos, democratizando seu uso e reconhecendo o valor de todas as manifestações vivas da linguagem, decerto representa um perigo para a preservação de um tipo de sociedade, como a brasileira, que se constituiu historicamente como uma das mais excludentes e opressoras do mundo.

Paralelamente às políticas oficiais citadas, essa última década também assistiu o surgimento de uma ampla bibliografia voltada para a crítica das práticas tradicionais de ensino de língua e para a proposta concreta de novas práticas, sustentadas por reflexões teóricas consistentes, como as que mostram, para citar um mínimo exemplo, por que é ridículo afirmar que o verbo *assistir*, no sentido de "presenciar", não pode ser empregado com um objeto direto (como acabei de fazer). No final deste livro, nas *Sugestões de leitura*, apresento uma lista, nada exaustiva, dos títulos mais significativos dessa produção. Já não se pode mais usar a desculpa (e a acusação) de que é impossível abandonar o ensino convencional porque "vocês, da academia, não puseram nada no lugar da gramática tradicional". Pusemos, sim, e dão prova disso as diversas políticas oficiais de distribuição de material didático, de formação continuada de docentes, de formação de leitores, nas quais é firme e consistente a saudável influência que linguistas, pedagogos e outros especialistas têm exercido sobre a política educacional no Brasil.

A leitura dessas obras, embora múltiplas e variadas em suas posturas teóricas e direcionamentos práticos, permite sintetizar alguns aspectos comuns ao pensamento da maioria dos linguistas e educadores brasileiros no que diz respeito à análise da realidade linguística do nosso país e ao ensino de língua nas nossas escolas:

- a prioridade absoluta, no ensino de língua, deve ser dada às práticas de *letramento*, isto é, às práticas que possibilitem ao aprendiz uma plena inserção na *cultura letrada*, de modo que ele seja capaz de *ler* e de *escrever* textos dos mais diferentes gêneros que circulam na sociedade. Para ler e escrever, por mais óbvio que pareça, é preciso *ler e escrever*, e não, como sempre se acreditou, decorar toda uma nomenclatura gramatical numerosa, confusa e frequentemente contraditória, nem fazer análise sintática e morfológica de frases soltas, artificiais, irrelevantes, muitas vezes ridículas, práticas que não contribuem em nada com a verdadeira *educação linguística* dos cidadãos – com isso, o ensino explícito da gramática, como objeto de reflexão e teorização, deve ser abandonado nos primeiros anos da escolarização em prol de uma real inserção dos aprendizes na cultura letrada em que vivem;

- todos os aprendizes devem ter acesso às *normas linguísticas urbanas de prestígio*, não porque sejam as únicas formas "certas" de falar e de escrever, mas porque constituem, junto com outros bens sociais, um *direito* do cidadão, de modo que possa se inserir plenamente na vida urbana contemporânea, ter acesso aos bens culturais mais valorizados e dispor dos mesmos recursos de expressão verbal (oral e escrita) dos membros das elites socioculturais e socioeconômicas; o acesso e a incorporação dessas normas urbanas de prestígio se fazem pelas práticas de letramento (e de oralidade) mencionadas acima, por meio do convívio intenso, sobretudo no ambiente escolar, com os *gêneros textuais-discursivos* mais relevantes para a interação social nos modos de vida contemporâneos;

- é imprescindível reconhecer que essas normas urbanas de prestígio *não correspondem integralmente* às formas prescritas pelas gramáticas normativas, isto é, não correspondem à *norma-padrão* tradicional: uma grande quantidade de regras prescritas pela norma-padrão tradicional já caíram na obsolescência, já deixaram de ser seguidas até mesmo pelos escritores mais consagrados nos últimos cem anos (se não mais), assim como um grande número de usos não normativos já se incorporaram plenamente na língua falada das camadas sociais privilegiadas e na língua escrita nos gêneros textuais mais prestigiados – com isso, embora o acesso do estudante à norma-padrão tradicional também faça parte da sua educação linguística (sobretudo pela e para a leitura dos clássicos), este acesso deve ser feito numa perspectiva *crítica*, para que não se caia na velha prática (anti) pedagógica de condenar todas as inovações linguísticas (resultantes dos inevitáveis processos de mudança das línguas) como se fossem indícios da "ruína" e da "decadência" do idioma;

- é passada a hora de se produzir uma nova *gramática de referência do português brasileiro contemporâneo* que venha a substituir as gramáticas normativas que ainda circulam no mercado, eivadas de inconsistências teóricas e de contradições metodológicas, inspiradas em postulados não científicos e em preconceitos sociais cristalizados antes do início da era cristã; uma nova gramática que *descreva e autorize* o que já está pacificamente incorporado à atividade linguística de todos os brasileiros, inclusive dos qualificados de "cultos"; constitui um atentado aos direitos do cidadão continuar a prescrever, como únicas corretas, regras gramaticais que entram em flagrante conflito com a intuição linguística do falante e que não correspondem ao estado atual da língua, nem sequer em seus usos escritos mais formais;

- a prática da *reflexão linguística* é importante para a formação intelectual do cidadão; com isso, ainda existe lugar, em sala de aula, para o estudo explícito da gramática, desde que ele não seja visto como um fim em si mesmo nem como o aprendizado de um conjunto de dogmas, de verdades absolutas e imutáveis: a reflexão sobre a língua deve ser feita por meio da *investigação* de fatos linguísticos reais, em manifestações faladas e escritas autênticas, e por meio do confronto crítico entre as abordagens tradicionais e as teorias científicas mais recentes – se a prática da pesquisa, da reflexão sobre a constituição histórica dos campos de conhecimento, da contestação e revisão dos postulados científicos ocorre em todas as demais disciplinas do currículo escolar, não existe justificativa alguma para que ela não ocorra também nas aulas de português: se os professores de ciências não podem mais ensinar que Plutão é um "planeta", por que os professores de português devem continuar a ensinar que *você* é mero "pronome de tratamento", que existe uma "voz passiva sintética" ou que o verbo *preferir* não admite construções comparativas do tipo *"prefiro mil vezes cinema do que teatro"*?

■ a *variação linguística* tem que ser *objeto e objetivo* do ensino de língua: uma educação linguística voltada para a construção da cidadania numa sociedade verdadeiramente democrática não pode desconsiderar que os modos de falar dos diferentes grupos sociais constituem elementos fundamentais da *identidade* cultural da comunidade e dos indivíduos particulares, e que denegrir ou condenar uma variedade linguística equivale a denegrir e a condenar *os seres humanos que a falam*, como se fossem incapazes, deficientes ou menos inteligentes – é preciso mostrar, em sala de aula, que a língua varia tanto quanto a sociedade varia, que existem muitas maneiras de dizer a mesma coisa e que todas correspondem a usos diferenciados e eficazes dos recursos que o idioma oferece a seus falantes; também. é preciso evitar a prática distorcida de apresentar a variação como se ela existisse apenas nos meios rurais ou menos escolarizados, como se também não houvesse variação (e mudança) linguística entre os falantes urbanos, socialmente prestigiados e altamente escolarizados, inclusive nos gêneros escritos mais monitorados.

Um ponto teórico importante, que não foi contemplado na primeira edição de *A língua de Eulália* (mas que foi incorporado ao livro na sua quinta edição, em 2000), é o reconhecimento de que não é possível fazer uma análise *dicotômica* da realidade sociolinguística brasileira, opondo o *padrão* ao *não padrão*, ou o *culto* ao *popular*, como tradicionalmente se tem feito, mesmo na produção de textos acadêmicos. Cada vez mais se torna evidente que é preciso analisar a nossa realidade sociolinguística sob *três* focos: de um lado, (1) o da *norma-padrão*, isto é, o modelo idealizado de língua "certa" descrito e prescrito pela tradição gramatical normativa – e que de fato não corresponde a nenhuma variedade falada autêntica e, em grande medida, tampouco à escrita mais monitorada – e, do outro lado, como extremos de um amplo *continuum*, (2) o conjunto das *variedades prestigiadas*, faladas pelos cidadãos de maior poder aquisitivo, de maior nível de escolarização e de maior prestígio sociocultural, e (3) o conjunto das *variedades estigmatizadas*, faladas pela imensa maioria da nossa população, seja nas zonas rurais, seja nas periferias e zonas degradadas das nossas cidades, onde vivem os brasileiros mais pobres, com menor acesso à escolarização de qualidade, desprovidos de muitos de seus direitos mais elementares. Mais de trinta anos de pesquisa sociolinguística vêm confirmando que não tem cabimento colocar sob um mesmo rótulo a língua idealizada das gramáticas normativas e a atividade linguística empiricamente coletável dos falantes urbanos mais prestigiados: *norma-padrão* e *norma culta*, definitivamente, *não são a mesma coisa*. A dinâmica das relações entre essas três grandes entidades sociolinguísticas é estudada no capítulo "A fôrma, a norma e o funil" deste livro, onde ainda se usa o adjetivo *culto* para tratar das variedades prestigiadas, adjetivo que tratei de criticar e abandonar em obras posteriores, às quais remeto o leitor interessado no tema.

Para concluir, quero agradecer mais uma vez às pessoas que, na época da produção deste livro, muito me ajudaram com suas observações e sugestões: às minhas primeiras leitoras, Júlia Francisca e Sonia Alexandre; a Rodolfo Ilari, que leu os originais da obra e fez comentários precisos sobre alguns pontos muito importantes; a Maria da Piedade Moreira de Sá, a quem o livro é dedicado por razões de admiração e grande afeto; a Stella Maris Bortoni-Ricardo, que contribuiu muito quando preparei a quinta edição do livro, ao ler os capítulos novos nela incluídos.

Expresso aqui igualmente minha profunda gratidão a todas as incontáveis pessoas, de todos os cantos do Brasil e também do exterior, que, ao longo desses dez anos, têm me enviado mensagens de estímulo, solidariedade, simpatia e de reconhecimento pelo esforço que representou *A língua de Eulália* no desmascaramento do mito do português "errado": professoras e professores de português e de outras disciplinas, tanto do ensino fundamental e médio quanto do ensino superior; estudantes de Letras, Pedagogia e de outros cursos; pessoas engajadas em movimentos sociais de luta pela inclusão dos falantes estigmatizados; jornalistas e outros profissionais da comunicação, surpresos ao descobrir que existe outro modo de considerar a língua e seus falantes; leitoras e leitores sem compromisso específico com o ensino ou com o estudo da língua, mas interessados em aprender mais e melhor sobre si mesmos. A todas essas pessoas reitero a promessa de prosseguir na luta.

Agradeço também aos meus detratores, sobretudo àqueles que têm se manifestado em tom virulento e ofensivo contra o que escrevo, aos que têm assumido explicitamente sua filiação a concepções de língua e de sociedade retrógradas e obscurantistas – seus ataques irritados e muitas vezes irracionais, embora me entristeçam, também me reconfortam em minhas escolhas, pois nem sequer meu último desejo seria agradar a quem quer que sustente qualquer tipo de ideologia excludente e repressora.

Marcos Bagno

SUGESTÕES DE LEITURA

Conforme anunciei em "Assim se passaram dez anos...", estas sugestões de leitura são, na maioria, obras publicadas a partir de 1997, sintonizadas com as mais recentes políticas governamentais sobre ensino de língua e com os resultados dos trabalhos científicos empreendidos nos principais centros de pesquisa do Brasil na última década. Os outros títulos, embora um pouco mais antigos, permanecem indispensáveis para a compreensão adequada dos fenômenos de variação e das novas propostas de ensino, tendo se tornado verdadeiros clássicos nessa área. Somente dois títulos, os de Bourdieu e Calvet, são de autores estrangeiros e sua inclusão se justifica por serem excelentes abordagens dos fenômenos sociológicos e linguísticos que nos interessam.

ANTUNES, Irandé. *Muito além da gramática: por um ensino de línguas sem pedras no caminho*. São Paulo, Parábola, 2007.

BAGNO, Marcos. *Preconceito linguístico: o que é, como se faz*. São Paulo, Loyola, 1999.

BAGNO, Marcos. *Dramática da língua portuguesa: tradição gramatical, mídia & exclusão social*. São Paulo, Loyola, 2000.

BAGNO, Marcos. *Português ou brasileiro? Um convite à pesquisa*. São Paulo, Parábola, 2001.

BAGNO, Marcos. *A norma oculta: língua & poder na sociedade brasileira*. São Paulo, Parábola, 2003.

BAGNO, Marcos. *Nada na língua é por acaso: por uma pedagogia da variação linguística*. São Paulo, Parábola, 2007.

BORTONI-RICARDO, Stella Maris. *Educação em língua materna: a sociolinguística na sala de aula*. São Paulo, Parábola, 2004.

BORTONI-RICARDO, Stella Maris. *Nós cheguemu na escola, e agora? Sociolinguística e educação*. São Paulo, Parábola, 2005.

BOURDIEU, Pierre. *A economia das trocas linguísticas*. São Paulo, Edusp, 1996.

BRITTO, Luiz Percival Leme. *A sombra do caos: ensino de língua x tradição gramatical.* Campinas, Associação de Leitura do Brasil (ALB)/ Mercado de Letras, 1997.

CALVET, Louis-Jean. *Sociolinguística: uma introdução crítica.* São Paulo, Parábola, 2002.

CASTILHO, Ataliba T. *A língua falada no ensino de português.* São Paulo, Contexto, 1998.

DIONÍSIO, Angela Paiva & BEZERRA, Maria Auxiliadora (orgs.). *O livro didático de português: múltiplos olhares.* Rio de Janeiro, Lucerna, 2001.

FRANCHI, Carlos. *Mas o que é mesmo "gramática"?* São Paulo, Parábola, 2006.

GNERRE, Maurizzio. *Linguagem, escrita e poder.* São Paulo, Martins Fontes, 1985.

ILARI, Rodolfo. *A linguística e o ensino de português.* São Paulo, Martins Fontes, 1985.

ILARI, Rodolfo. *Introdução à semântica: brincando com a gramática.* São Paulo, Contexto, 2001.

ILARI, Rodolfo. *Introdução ao estudo do léxico: brincando com as palavras.* São Paulo, Contexto, 2003.

ILARI, Rodolfo & BASSO, Renato. *O português da gente: a língua que estudamos, a língua que falamos.* São Paulo, Contexto, 2006.

LUFT, Celso Pedro. *Língua e liberdade.* São Paulo, Ática, 1994.

MARCUSCHI, Luiz Antônio. *Da fala para a escrita: exercícios de retextualização.* São Paulo, Cortez, 2001.

MOLLICA, Maria Cecília & BRAGA, Maria Luiza. (orgs.). *Introdução à sociolinguística: o tratamento da variação.* São Paulo, Contexto, 2004.

MOLLICA, Maria Cecília. *Da linguagem coloquial à escrita padrão.* Rio de Janeiro, 7Letras, 2003.

MOLLICA, Maria Cecília. *Fala, letramento e inclusão social.* São Paulo, Contexto, 2007.

NEVES, Maria Helena de Moura. *Gramática na escola*. São Paulo, Contexto, 1990.

NEVES, Maria Helena de Moura. *Que gramática estudar na escola?* São Paulo, Contexto, 2003.

NEVES, Maria Helena de Moura. *Texto e gramática*. São Paulo, Contexto, 2006.

PERINI, Mário A. *Para uma nova gramática do português*. São Paulo, Ática, 1985.

PERINI, Mário A. *Sofrendo a gramática*. São Paulo, Ática, 1997.

POSSENTI, Sirio. *Por que (não) ensinar gramática na escola*. Campinas, Mercado de Letras, 1996.

SCHERRE, Maria Marta Pereira. *Doa-se lindos filhotes de poodle: variação linguística, mídia e preconceito*. São Paulo, Parábola, 2005.

SCHERRE, Maria Marta P. & NARO, Anthony J. *Origens do português brasileiro*. São Paulo, Parábola, 2007.

SILVA, Rosa Virgínia Mattos e. *Tradição gramatical e gramática tradicional*. São Paulo, Contexto, 1989.

SILVA, Rosa Virgínia Mattos e. *Contradições no ensino de português*. São Paulo, Contexto, 1995.

SILVA, Rosa Virgínia Mattos e. *"O português são dois...": novas fronteiras, velhos problemas*. São Paulo, Parábola, 2004.

SOARES, Magda. *Linguagem e escola: uma perspectiva social*. São Paulo, Ática, 1986.

SOARES, Magda. *Letramento: um tema em três gêneros*. Belo Horizonte, Autêntica, 1998.

SOARES, Magda. *Alfabetização e letramento*. São Paulo, Contexto, 2003.

TARALLO, Fernando. *A pesquisa sociolinguística*. São Paulo, Ática, 1985.

VIEIRA, Silvia R. & BRANDÃO, Silvia F. *Ensino de gramática: descrição e uso*. São Paulo, Contexto, 2007.

O PORTUGUÊS DA GENTE
a língua que estudamos - a língua que falamos

Rodolfo Ilari e *Renato Basso*

O português do Brasil é falado por mais de 170 milhões de pessoas em um imenso território, mas muita gente teima em afirmar que ele não existe, ou, pior, não deveria existir. Ilari e Basso, seguindo uma tradição iniciada nos anos 20 por Mário de Andrade e Amadeu Amaral, oferecem-nos, em O português da gente, um estudo da língua que nós falamos e que pouco a pouco vai conquistando seus direitos. Este é um livro para ler, estudar e discutir, na sala de aula e fora dela. Mário A. Perini (PUC-Minas)